LA FIÈVRE DE L'AUBE

PÉTER GÁRDOS

LA FIÈVRE DE L'AUBE

traduit du hongrois par Jean-Luc Moreau

**Robert
Laffont**

Titre original : HAJNALI LÁZ
© Gárdos Péter 2010, 2015
© Libri Könyvkiadó, 2015, Budapest
Traduction française : Éditions Robert Laffont, S.A., Paris, 2016

ISBN 978-2-221-19128-6
(édition originale : ISBN 978-963-310-576-4 Libri Könyvkiadó,
Budapest)

« Tu ne sais rien, toi petit gars, de ce qui trace
au front d'un continent de noirs sillons de mort.
L'avion n'est pour toi que l'oiseau qui s'efface
dans le ciel étoilé de ton pays du Nord. »

Miklós Gárdos, « À un petit garçon suédois »

1.

Un jour d'été qui tournait à la pluie, mon père arriva en Suède.

La guerre était finie depuis à peine trois semaines.

Le vent du nord soufflait furieusement. Le bateau, en route vers Stockholm, tanguait sur la Baltique, au milieu de vagues de deux à trois mètres. On avait mis mon père à l'entrepont inférieur. Les évacués, couchés sur des sacs de paille, se cramponnaient convulsivement à leur lit, s'efforçant de ne pas lâcher prise au milieu des terribles secousses.

Une heure ne s'était pas écoulée depuis le départ quand mon père fut pris d'un malaise. Tout d'abord il n'expectora qu'une écume mêlée de sang, et il se tourna sur le côté, mais il se mit ensuite à tousser si fort que son agonie couvrit presque le claquement des vagues se brisant sur les flancs de la coque. Parce qu'il faisait partie des cas difficiles, on l'avait couché au premier rang, juste à côté de l'écoutille. Deux matelots soulevèrent son corps d'oiseau et le portèrent dans la cabine voisine.

Le médecin n'hésita pas – il n'avait pas de temps à perdre avec des antalgiques. Il enfonça une grosse aiguille dans la poitrine de mon père, entre deux côtes. Par chance elle atteignit le bon endroit. Tandis que le docteur extrayait un demi-litre de liquide de la plèvre, l'aspirateur arriva. On remplaça la seringue par un petit tuyau en plastique, et au moyen de la cloche suceuse on pompa encore rapidement un litre et demi de sécrétion.

Mon père alla mieux.

Le capitaine, informé de l'heureuse issue, témoigna une bienveillance particulière au grand malade. Il le fit envelopper dans d'épaisses couvertures et le fit asseoir sur le pont. De gros nuages s'accumulaient au-dessus de l'eau d'un gris de granit. Le capitaine, sanglé dans un uniforme impeccable, s'approcha de la chaise longue de mon père.

— Vous parlez allemand, monsieur ?

Mon père fit signe que oui.

— Bravo de vous en être sorti.

À un meilleur moment, un échange instructif aurait pu s'amorcer, mais mon père n'était pas dans un état propice à une conversation mondaine, tout au plus pouvait-il manifester sa bonne volonté.

— Je vis.

Le capitaine le regarda. La peau, couleur de cendre, tendue sur le crâne ; la pupille grossie par le verre des lunettes ; la bouche béant sur un trou d'ombre. Mon père alors n'avait quasiment plus de dents. J'ignore ce qui s'était passé exactement. Peut-être trois bourreaux, trois malabars, avaient-ils réduit en bouillie le maigrichon qu'il était dans la cave d'un abri antiaérien. Peut-être une seule ampoule, sans support, pendait-elle au plafond. Peut-être un des cogneurs, torse nu, empoignant un fer à repasser, en avait-il frappé plusieurs fois au visage le détenu au thorax en entonnoir – mon père. Une laconique version officielle indiquait qu'une partie de ses dents avait été cassée dans la prison du boulevard Marguerite, en 1944.

À présent, il vivait vraiment, il respirait, d'une respiration un peu sifflante, certes, mais ses poumons traitaient avec diligence l'air frais et salé de la mer.

Le capitaine braqua sa lunette vers la terre.

— Nous allons relâcher cinq minutes à Malmö.

Cela à vrai dire ne concernait pas mon père. Avec lui deux cent vingt-quatre malades, dans un état particulièrement critique, étaient évacués de Lübeck à Stockholm. Quelques-uns auraient été heureux si le capitaine leur avait donné l'assurance qu'ils arriveraient sains et saufs à bon port. Pour ces parias, les quelques minutes d'escale à Malmö ne retranchaient rien, n'ajoutaient rien. Mais le capitaine, comme s'il rendait compte à une autorité supérieure, poursuivit :

— On nous en a informés par radio. Cette escale n'était pas prévue.

La sirène retentit. Les docks du port de Malmö se profilèrent par-delà les embruns. Un vol de mouettes tournoyait au-dessus de la tête de mon père.

On accosta tout au bout de la jetée. Deux matelots descendirent à terre et partirent en courant en direction du port. Ils tenaient une grande corbeille vide, une de ces panières que de mornes blanchisseuses, dans les souvenirs de mon père, utilisaient pour monter au grenier le linge à étendre[1].

Une barrière fermait l'accès à la jetée. Derrière, des femmes à bicyclette attendaient. Une cinquantaine. Muettes, immobiles. Beaucoup portaient un fichu noir. Les mains serrées sur le guidon de leurs vélos. On eût dit des corbeaux perchés sur une branche.

Les deux matelots arrivaient à la barrière. Mon père remarqua que des petits paquets et des paniers étaient suspendus aux guidons des vélos. Le capitaine lui toucha l'épaule.

— L'initiative d'un rabbin fou. Il a fait paraître une annonce dans les journaux du matin. Il y fait savoir que vous arrivez par ce bateau. Et il a obtenu que nous fassions escale.

En quelques instants les femmes déposèrent leurs paquets dans la panière. L'une d'elles, qui se tenait un peu en retrait, lâcha son guidon et le vélo tomba. Mon père, du bateau, entendit le choc du métal sur le basalte du quai, ce qui, à pareille distance, semblait tout bonnement impossible. Plus tard pourtant il raconta souvent l'épisode et n'omit jamais le bruit du vélo.

Quand ils eurent tout collecté, les matelots firent demi-tour et regagnèrent le bateau en courant. Une image se fixa dans le cerveau de mon père : la jetée invraisemblablement déserte, les matelots qui traînaient la corbeille, et à l'arrière-plan, fermant la scène,

---

1. Allusion à « Maman », poème d'Attila József. (*Toutes les notes sont du traducteur.*)

l'étrange escadron des femmes avec leurs vélos, immobiles.

Les petits paquets renfermaient des gâteaux que des Suédoises inconnues avaient confectionnés à l'occasion de l'arrivée des parias dans leur pays. Mon père, dans sa bouche édentée, fit tourner cette pâte douce et onctueuse. Au goût de vanille et de framboise.

— La Suède vous salue.

Le capitaine murmura quelque chose de ce genre avant de se retourner pour aller exercer son commandement, et déjà le bateau s'éloignait du rivage.

Mon père mastiquait le gâteau. Dans le ciel, entre les nuages, un biplan tourna par deux fois pour rendre les honneurs. Mon père sentait peu à peu qu'il vivait bel et bien.

*

Le 7 juillet 1945, dans une salle de seize lits de l'hôpital de Lärbro, un petit village de l'île de Gotland, mon père, adossé à son oreiller, écrivait une lettre. La lumière dorée du soleil entrait par les fenêtres. Entre les lits, les infirmières, coiffes blanches et blouses amidonnées, allaient et venaient, balayant le sol de leurs jupes de toile.

Mon père avait une très belle écriture : jolis caractères, jambages élégants ; les espaces entre les mots duraient le temps qu'il fallait pour reprendre sa respiration. Sa lettre terminée, il trouva une enveloppe, y inséra la feuille, la ferma et plaça le tout contre la carafe d'eau, sur sa table de nuit. Deux heures plus tard une infirmière répondant au prénom de Katrin la posta avec le courrier des autres malades.

Mon père ne se levait encore que de temps à autre. Mais onze jours plus tard il pouvait déjà aller s'asseoir dans le couloir de l'hôpital de Lärbro. Il s'était procuré un mince cahier sur les feuilles quadrillées duquel, en fin d'après-midi, il recopia les noms. Car dans la matinée il avait lui aussi reçu une lettre. Provenant tout droit du Bureau Suédois d'enregistrement des réfugiés, elle renfermait les noms et adresses de cent dix-sept femmes. Mon père tenait en main les adresses postales de cent dix-sept jeunes femmes et jeunes filles auxquelles on s'efforçait d'insuffler la vie dans des baraquements hospitaliers de diverses régions de Suède.

Cela se passait deux ou trois jours après la tragique notification.

*

Mon père, collé à l'appareil de radiographie, n'osait pas bouger. De la pièce voisine le docteur Lindholm lui criait ce qu'il devait faire. Le médecin mesurait deux mètres, était tout en jambes et parlait drôlement le hongrois. Il ne faisait presque pas de différence entre les voyelles longues et les voyelles brèves ; il les prononçait toutes comme s'il gonflait un ballon de baudruche. Il dirigeait l'hôpital de Lärbro depuis douze ans, et c'était grâce à sa femme qu'il écorchait aussi subtilement la langue hongroise. Márta, dont la petite taille surprenait – un mètre quarante tout au plus, selon mon père –, travaillait elle aussi à Lärbro, comme infirmière.

— Gardez l'air dans vos poumons et ne gigotez pas.

Un déclic, un ronflement : la radio était faite. Mon père pouvait relâcher ses épaules.

Lindholm le rejoignit. Son regard, plein de compassion, le fuyait. Mon père, torse nu, la poitrine creuse, s'attardait auprès de l'appareil comme quelqu'un qui ne voudrait plus jamais se rhabiller. Les verres de ses lunettes, épais comme des culs de bouteille, étaient un peu embués.

— Au fait, quel est votre métier, Miklós ?

— J'étais journaliste. Et poète.

— Ah ! ah ! Ingénieur des âmes[1]. C'est beau.

Mon père se dandinait d'un pied sur l'autre. Il avait froid.

— Eh bien, rhabillez-vous, pourquoi restez-vous debout ?

Mon père, d'un pas traînant, regagna le coin de la pièce, enfila sa veste de pyjama, demanda :

— Un problème ?

Lindholm, toujours sans le regarder, se dirigea vers son cabinet et lui fit signe de le suivre. Comme incidemment, il murmura :

— Oui. Un problème.

Son cabinet donnait sur le jardin. L'île de Gotland, en cette tiède soirée du milieu de l'été, s'épanouissait dans une lumière cuivrée qui baignait toute la contrée

---

1. L'expression est de Staline.

sous un angle inconcevable. Le brun foncé des meubles inspirait intimité et sécurité.

Mon père, en pyjama, était maintenant installé dans le fauteuil de cuir. En face de lui, de l'autre côté du bureau, Lindholm, en gilet, était tendu. Soucieux, il farfouillait dans les analyses. Bien que ce ne fût pas nécessaire, il alluma la lampe de bureau, dont le globe était du même vert que la mer.

— Combien pesez-vous, Miklós ?

— Quarante-sept kilos.

— Eh bien, vous voyez... ça marche comme sur des roulettes.

Il faisait allusion au poids de mon père, qu'un traitement drastique avait fait passer de vingt-neuf à quarante-sept kilos. Mon père déboutonnait et reboutonnait sa veste de pyjama. Elle était trop grande pour lui, il nageait dedans.

— Ce matin à l'aube, vous aviez de la fièvre ?

— 38,2.

Lindholm jeta les analyses sur le bureau.

— Je ne tergiverse pas. C'est bien comme ça qu'on dit ? À présent vous êtes assez fort pour affronter la réalité.

Mon père sourit. Presque toutes ses dents étaient en vipla, un alliage métallique médical, acido-résistant, laid et bon marché. Dès le lendemain de son arrivée à Lärbro, un dentiste était venu le voir, avait pris les empreintes de sa mâchoire et fait le nécessaire. Il l'avait prévenu qu'il allait recevoir un dentier provisoire plus pratique qu'esthétique. Ensuite, en un tournemain, il lui avait installé cette quincaillerie dans la bouche.

Le sourire de mon père était tout sauf réconfortant, mais le médecin ne s'en força pas moins à le regarder.

— Je serai objectif. C'est plus simple. Il vous reste six mois, Miklós.

Lindholm prit sur la table une radio et la tint devant la fenêtre.

— Approchez-vous.

Mon père se leva et se pencha au-dessus du bureau. Les doigts fuselés de Lindholm parcoururent le plan incliné de la radio.

— Là, là, là et là. Vous voyez, Miklós? Ici, ce sont seulement des séquelles du typhus. Et ces taches, vous les voyez? C'est votre tuberculose. Des dégâts durables. Et malheureusement irréversibles. C'est affreux à dire. Pour parler vulgairement, la maladie vous bouffe les poumons. On peut dire comme ça, en hongrois : «vous bouffe»?

Ils s'absorbèrent dans la contemplation des radios.

Mon père, qui n'avait guère de forces, s'appuya un instant à la table. Il opina, indiquant par là que le médecin se tirait parfaitement d'affaire dans les arcanes de la langue hongroise. Le mot «bouffer» était une expression assez précise pour faire sentir sans termes techniques médicaux ce que serait un avenir qui n'était plus si lointain.

Mon grand-père paternel avait eu avant la guerre une librairie à Debrecen. Le magasin nichait dans le bâtiment du palais épiscopal, sous les arcades, dans le centre-ville, à quelques minutes à pied de la grand-place. On l'appelait la cour Gambrinus, aussi la boutique s'appelait-elle la librairie Gambrinus. Trois pièces étroites et hautes de plafond. Le père de mon père vendait également du matériel de bureau, et l'on pouvait même emprunter des livres. Mon père, dans cette boutique, perché tout en haut d'une grande échelle en bois, avait lu dans son adolescence toute la littérature du monde, il appréciait donc la formulation poétique de Lindholm.

Le médecin regarda mon père au fond des yeux.

— En l'état actuel de nos connaissances médicales, je dirais que vous êtes condamné. Il y aura des améliorations. Et des rechutes. Je serai toujours auprès de vous. Mais je ne voudrais pas vous leurrer. Six mois. Sept au maximum. C'est cruel, mais c'est la vérité.

Mon père se redressa. Il souriait toujours. Serein, il se renversa dans le vaste fauteuil. Le docteur se demanda s'il avait compris quelque chose à son diagnostic.

À cette époque-là, mon père était préoccupé par des questions plus importantes que sa vie.

2.

Quinze jours après cette conversation, on lui permit de faire une courte promenade dans le magnifique jardin de l'hôpital, et il s'installa sur un banc qu'un arbre majestueux ombrageait de sa riche frondaison.

Il ne levait presque pas les yeux. Il écrivait ses lettres, l'une après l'autre. Il les calligraphiait, au crayon, de sa saisissante écriture moulée. Assis sur ce banc, il utilisait en guise de sous-main la couverture rigide de l'édition suédoise d'un roman de Martin Andersen Nexö. Mon père admirait les vues politiques de Nexö, ainsi que le courage sans phrases de quelques-unes des figures ouvrières de son roman. Peut-être l'idée tournait-elle par ailleurs dans sa tête que le grand Danois, atteint lui aussi de tuberculose, avait réussi à guérir.

Mon père écrivait rapidement. Quand une lettre était terminée, il posait une pierre dessus, pour que le vent ne l'emporte pas.

Le lendemain, il frappa à la porte du docteur. Il pensait que Lindholm serait séduit et désarmé par sa sincérité. Il avait besoin de son aide.

À cette heure de la journée, le médecin, assis sur son divan de cuir, bavardait avec ses malades. Il en fut ainsi ce jour-là : lui, d'un côté du divan, dans sa blouse blanche ; de l'autre côté, mon père, en pyjama.

Lindholm, stupéfait, tournait et retournait le tas d'enveloppes.

— Nous n'avons pas l'habitude de demander à nos patients avec qui ils correspondent et pourquoi. Maintenant non plus ce n'est pas la curiosité qui me pousse...

— Je sais. Mais je voudrais vous mettre au courant.

— Vous dites, cher Miklós, qu'il y a là cent dix-sept enveloppes. Vous entretenez une vaste correspondance. Félicitations.

Lindholm leva les bras comme pour évaluer le poids de la masse de lettres.

— Je vais tout de suite dire à l'infirmière de les affranchir. Pour toute question matérielle vous pouvez désormais vous adresser à moi en confiance.

Mon père, non sans un brin de suffisance, croisa les jambes que cachait son pantalon de pyjama. Il sourit.

— Rien que des femmes.

Lindholm haussa les sourcils.

— Voyez-vous ça !

— Ou plutôt des jeunes filles. Des Hongroises. De Debrecen et de ses alentours. Je suis natif de là moi aussi.

Le médecin opina :

— Je comprends.

Il ne comprenait pas. Il n'avait pas la moindre idée de ce que mon père pouvait attendre de cette démesure épistolaire, mais il se montrait compréhensif, car c'était tout de même, n'est-ce pas, avec un condamné à mort qu'il discutait.

Mon père, soulagé, poursuivit :

— Il y a quinze jours j'ai cherché à savoir quelles étaient celles, disséminées à travers toute la Suède, qui sont nées du côté de Debrecen et sont toujours en traitement. Les moins de trente ans.

— Dans les baraquements des hôpitaux ? Diable !

Tous deux savaient qu'en dehors de celui de Lärbro des milliers de centres de réadaptation fonctionnaient dans le pays.

Mon père se redressa. Il était franchement fier de son plan de campagne.

— Elles sont innombrables. Des jeunes filles. Des femmes. Voici la liste.

De la poche de sa veste de pyjama il la sortit et la tendit au médecin en rougissant. Il l'avait sérieusement préparée. Il avait dessiné à côté de chaque nom une croix, une flèche ou un petit triangle.

— Oh, oh ! Vous cherchez des connaissances. Je vous approuve.

— Vous vous trompez, expliqua mon père en battant des paupières et en souriant. Je cherche une épouse. Je voudrais me marier.

Enfin, il l'avait dit. Il se renversa en arrière et attendit l'effet produit.

Le front de Lindholm se plissa.

— Il semble, cher Miklós, que je ne me sois pas exprimé assez clairement l'autre fois.

— Mais si, docteur, mais si.

— Je crois que votre langue m'a joué un tour. Six mois, environ. C'est tout ce qui vous reste. Vous savez, Miklós, dire une chose de ce genre, il n'y a pas pire pour un médecin.

— Je vous ai parfaitement compris, docteur.

Il était difficile de répondre à cela. Ils demeurèrent ainsi, silencieux, chacun dans son coin du divan.

Ils y restèrent encore cinq minutes, tendus, en proie à un trouble croissant. Le docteur Lindholm pesait le pour et le contre, se demandant s'il était bien de son devoir de faire la morale à un condamné à mort, s'il lui appartenait de l'inciter à prendre sainement la mesure des risques qui le guettaient. Mon père, lui, se demandait s'il valait la peine d'initier à la vision optimiste du monde un scientifique aussi expérimenté.

Sur quoi chacun préféra laisser l'autre en paix.

Dans l'après-midi mon père se recoucha, comme la thérapie le lui conseillait, et s'adossa à son oreiller. Il était dans les trois heures, l'heure de la sieste, les patients devaient rester dans les baraques. Beaucoup dormaient, quelques-uns jouaient aux cartes. Harry, avec une énervante obstination, ressassait sur son violon le passage le plus retors du finale d'une sonate romantique.

Mon père, lui, collait les timbres sur les cent dix-sept enveloppes. Léchait, collait, léchait, collait, avec le sentiment que la musique du violon accompagnait expressément son activité. De temps en temps, la bouche sèche, il buvait une gorgée dans le verre qui se trouvait sur sa table de nuit.

Ces cent dix-sept lettres, il aurait pu les multiplier au papier carbone. Elles ne différaient les unes des autres que par un seul mot : le nom de la destinataire.

*

Mon père avait-il jamais imaginé ce que pourraient ressentir ces destinataires quand elles ouvriraient les enveloppes, en retireraient les lettres et que leur regard tomberait sur cette belle calligraphie des écoliers de Hongrie ?

Oh, ces femmes ! Blotties au bord de leur lit d'hôpital, sur des bancs de jardin, dans les recoins de couloirs sentant la pharmacie, devant des fenêtres aux vitres épaisses, s'arrêtant à chaque instant dans des escaliers aux marches ébréchées, sous d'aimables tilleuls, au bord de minuscules étangs, appuyées à de froids carreaux de faïence jaunâtres. Mon père les avait-il imaginées, en chemise de nuit ou dans l'habituel uniforme grisâtre des camps de réadaptation, en train de décacheter leurs enveloppes, parcourant et reparcourant les lignes, d'abord troublées, puis souriantes, le cœur battant de plus en plus vite, ou bien seulement infiniment surprises ?

Chère Nóra, chère Erzsébet, chère Lili, chère Zsuzsa, chère Sára, chère Szeréna, chère Ágnes, chère Giza, chère Baba, chère Katalin, chère Judit, chère Gabriella...

Sans doute êtes-vous habituée à ce que des inconnus s'adressent à vous, si vous parlez hongrois

– sous prétexte qu'eux aussi sont hongrois. Peu à peu nous devenons tout à fait mal élevés.

Moi par exemple je m'adresse à vous familièrement ci-dessus sous prétexte que nous sommes pays. J'ignore si vous me connaissez de Debrecen – avant que la patrie ne m'«appelle» pour le service du travail obligatoire je travaillais au Journal indépendant, *et mon père tenait une librairie dans le palais épiscopal.*

Il me semble, d'après votre nom et votre âge, que je vous connais. N'habitiez-vous pas au Gambrinus?

Ne m'en veuillez pas d'écrire au crayon, mais sur prescription médicale je dois de nouveau pendant quelques jours garder le lit.

*

L'une des destinataires des cent dix-sept lettres était une certaine Lili Reich. Âgée de dix-huit ans, elle se trouvait au camp de Smålandsstenar.

Elle décacheta l'enveloppe, que la poste lui avait remise en août, lut la lettre attentivement, et pensant que le jeune homme à la belle écriture qui lui écrivait du lointain Lärbro l'avait manifestement confondue avec une autre, elle oublia tout sans tarder.

Elle vivait alors dans une fiévreuse agitation. Elle s'était fait deux amies, Sára Stern et Judit Gold, et quelques jours auparavant elles avaient décidé de mettre un terme à la monotone grisaille et à l'interminable train-train de leur lente convalescence. Judit Gold avait un visage chevalin; sa bouche étroite et sévère s'ombrageait d'un brun duvet. Sára, tout au contraire, était une blonde créature à l'ossature délicate, aux épaules étroites, aux jolies jambes.

Les trois amies rêvaient d'organiser une soirée hongroise sur la scène de la salle de la culture du centre de réadaptation.

Toutes trois avaient étudié la musique : Lili Reich avait derrière elle huit ans de piano ; Sára Stern avait chanté dans une chorale ; Judit Gold, avant la guerre, avait fait de la danse. Deux autres jeunes filles, Erika Friedmann et Gitta Pláner, s'étaient jointes à elles, par pure sympathie. Sur la machine à écrire du bureau des médecins elles avaient tapé un projet de programme d'à peine trente minutes et l'avaient affiché à trois endroits. Les amateurs avaient pris place sur les grinçantes chaises de bois. Pour la plupart, c'étaient des patients du centre de réadaptation, mais des curieux étaient également venus de la petite ville de Smålandsstenar. Le programme reçut un accueil triomphal. Après le dernier numéro, une csárdás endiablée, les spectateurs, debout, ovationnèrent longuement les cinq jeunes filles rougissantes. Mais quand elles eurent regagné l'arrière de la scène en courant, Lili ressentit une soudaine et violente douleur dans le bassin. Elle se cassa en deux, écrasa les mains sur son ventre, puis se laissa aller à gémir doucement. Elle se coucha par terre, la sueur inondant son front.

Sára, sa plus proche amie, s'accroupit à côté d'elle.

— Lili, qu'est-ce qui t'arrive ?

— J'ai affreusement mal.

Lili perdit conscience pendant quelques instants. Elle ne garda pas souvenir de la façon dont elle s'était retrouvée dans l'ambulance, elle se rappelait seulement que le visage diffus de Sára s'était penché sur elle, que Sára lui avait crié quelque chose, qu'elle-même n'entendait rien. Plus tard elle repensa souvent qu'elle n'aurait peut-être jamais connu mon père si cette crise rénale ne s'était pas déclarée ; si cette grosse guimbarde d'ambulance blanche ne l'avait pas transportée à l'hôpital militaire d'Eksjö ; si, lors de sa première visite, Judit Gold ne lui avait pas apporté, outre sa brosse à dents et son journal, la lettre qu'elle avait reçue de ce garçon de Lärbro ; et si, au cours de la même visite, Judit ne l'avait pas convaincue, en dépit du bon sens, de répondre, au moins par charité, ne fût-ce que quelques phrases au gentil jeune homme.

C'est ainsi que Lili Reich, un fastidieux soir d'hôpital, quand eurent cessé l'horripilant grincement de la porte de l'ascenseur et l'engourdissant brouhaha qui filtrait du couloir, prit une feuille de papier et après quelques instants de réflexion se mit à écrire à la lumière pâle et incertaine de l'ampoule fixée au-dessus de son lit.

Cher Miklós !

Je ne ressemble sans doute pas à celle à laquelle vous pensez car, bien que née à Debrecen, j'ai vécu à partir de l'âge d'un an à Budapest. Malgré cela j'ai beaucoup pensé à vous, et le ton direct de votre lettre m'est si sympathique que je poursuivrai volontiers cette correspondance.

Ce n'était qu'à moitié vrai. Maintenant qu'une maladie nouvelle et inconnue la clouait au lit, c'était par peur, pour s'en faire une planche de salut ou simplement pour chasser son ennui qu'elle tissait des rêves.

Un mot seulement sur moi : je ne suis impressionnée ni par les pantalons bien repassés ni par les cheveux bien peignés, ce sont seulement les qualités intérieures qui me séduisent.

*

Mon père avait repris des forces. Assez du moins pour pouvoir, avec Harry, se rendre à pied dans la petite ville. Dans les camps de réadaptation, les évacués recevaient par semaine cinq couronnes d'argent de poche. À Lärbro, il y avait deux pâtisseries. Et dans l'une des deux, des tables de marbre, comme en Hongrie avant la guerre. Chemin faisant, ils rencontrèrent Kristin, une petite coiffeuse joufflue. Ils lui adressèrent la parole, et bien leur en prit. Ils se retrouvèrent tous les trois autour d'une table ronde en marbre, Kristin jouant de la fourchette avec distinction pour manger son chausson aux pommes, chacun des deux hommes ayant devant lui un verre de soda. La conversation se déroulait en allemand, car les Hongrois n'en étaient encore qu'au b. a.-ba de la mélodieuse langue suédoise.

Le sucre en poudre tremblotait sur le fin duvet blond entourant les lèvres de Kristin.

— Vous êtes tous les deux très gentils. Où êtes-vous nés exactement ?

Mon père bomba fièrement le torse.

— À Hajdúnánás, roucoula-t-il comme s'il prononçait un mot magique.

— Et moi à Sajószentpéter.

Kristin, bien entendu, tenta l'impossible. Elle répéta ce qu'elle venait d'entendre. Ce qui donna un mélange confus de gargarisme et de clapotis. «Hajdu... nana... sent... peter...»

On rit. Kristin se remit à picorer son chausson. Il y eut un bref silence, tout juste suffisant pour improviser une attaque à la hussarde. Harry était orfèvre en la matière.

— Qu'a dit Adam à Ève quand ils se sont rencontrés pour la première fois?

Kristin se creusa pour trouver la solution, en oubliant de mâcher. Harry attendit un peu, puis, se levant brusquement, montra par une mimique qu'il était nu comme l'enfant nouveau-né.

— Je vous en prie, madame, éloignez-vous, je ne sais pas jusqu'où ce truc va grandir.

Ce disant, il faisait un geste vers le bas, en direction de sa braguette.

Kristin ne comprit pas immédiatement; puis elle rougit. Mon père, gêné, préféra boire une gorgée de son soda.

Harry était lancé.

— J'en ai une autre. La dame demande à sa nouvelle femme de chambre: «Vous avez de bonnes recommandations? – Oui, Madame, on a été partout content de moi. – Vous savez faire la cuisine?» La bonne fait signe que oui. «Vous aimez les enfants? – Oui, bien sûr, je les aime, mais il vaudrait mieux que Monsieur fasse attention. »

Kristin s'esclaffa. Harry lui prit la main et y déposa un ardent baiser. La première réaction de Kristin fut de retirer sa menotte, mais comme il la tenait fermement, elle décida de ne pas résister. Mon père détournait les yeux et il avala une nouvelle gorgée.

Kristin passa la main sur sa jupe et se leva.

— Je vais aux toilettes, dit-elle.

Et, très comme il faut, elle se dirigea vers le fond de la salle.

Harry passa aussitôt au hongrois.

— Elle habite tout près. À deux rues d'ici.

— Comment le sais-tu ?

— C'est elle qui l'a dit. Tu n'écoutes pas ?

— Tu lui plais.

— Toi aussi.

Mon père regarda Harry sévèrement.

— Ça ne m'intéresse pas.

— Ça fait une éternité que tu n'as pas été dans un café. Une éternité que tu n'as pas vu une femme à poil.

— Qu'est-ce que ça vient faire ici ?

— Nous pouvons enfin sortir du camp. Nous devons recommencer à vivre.

Kristin revenait, d'une démarche aguichante. Harry, en hongrois, chuchota encore à mon père :

— Que dirais-tu d'un sandwich ?

— Un sandwich ?

— Nous deux et elle, Kristin, au milieu.

— Ne compte pas sur moi.

Harry prit à peine le temps de respirer. Il passa à l'allemand, tout en caressant discrètement, sous la table, la cheville de la jeune fille.

— Ce que nous disions avec Miklós, chère Kristin, c'est que je suis définitivement entiché de vous. Je peux espérer ?

Kristin, en signe de rappel à l'ordre, lui posa, mutine, son index sur la bouche.

*

Kristin louait un minuscule logement sur le Nyvägen, au troisième étage. Le léger bourdonnement de la circulation entrait par la fenêtre ouverte. La jeune fille s'assit sur le lit, ménageant à Harry une place à côté d'elle. Pour première épreuve elle lui demanda de lui recoudre son soutien-gorge, à demi déchiré dans le dos. Elle le gardait sur elle, bien entendu. Elle suivit l'opération dans le miroir.

— Tu as fini ?

— Tout de suite. Ce serait plus facile si tu l'enlevais.

— Pas question.

— Tu me mets à la torture.

— C'est ce qu'il faut. Que tu souffres. Retiens-toi, travaille un peu, dit-elle en riant. Une petite tâche domestique.

Harry, quand il eut fini, coupa le fil avec ses dents.

Kristin se leva d'un bond, se plaça devant le miroir, se tourna et se retourna. Elle fit claquer la bretelle en caoutchouc du soutien-gorge. Harry la dévorait des yeux, de plus en plus rouge. Il la prit dans ses bras.

Gauchement il dégrafa le soutien-gorge. D'une voix rauque il chuchota :

— Je fais la cuisine, la lessive, le ménage. Mes compétences sont très larges.

En réponse elle l'embrassa.

*

Une heure plus tard, quand Harry revint à la pâtisserie et se laissa tomber à côté de lui, mon père, toujours assis dans le coin, ne lui accorda pas un regard. La lettre qu'il était en train de rédiger sur le marbre de la table était presque terminée. Le bout de son crayon glissait sur le papier. Harry poussa un gros soupir. Il était désespéré.

Mon père leva enfin la tête. Il fut à peine surpris devant la mine déconfite de son ami.

— Tu n'es déjà plus amoureux ?

Harry lampa le doigt de soda qui restait dans le verre de mon père.

— Je suis une épave, et pas amoureux.

— Vous avez rompu ?

— Elle m'a fait recoudre son soutien-gorge. Ensuite je l'ai déshabillée. Elle avait la peau si ferme !

— Alors tout va bien. Ne me dérange pas. Il faut que je finisse cette lettre.

Déjà mon père était retourné à son papier. Harry l'envia de pouvoir ainsi, en pressant sur un bouton, se déconnecter du monde extérieur. Comme si lui-même n'était pas là. Un peu plus tard il bredouilla :

31

— C'est moi, ferme, qui ne l'étais pas... Ça ne va pas. Ça ne marche pas, tout simplement.

Mon père continuait à écrire comme un fou.

— Qu'est-ce qui ne marche pas ?

— Moi qui étais capable, cinq fois par jour... qui y suspendais un seau plein d'eau et me promenais comme ça, de long en large.

Mon père réfléchissait, cherchant la bonne épithète.

— Tu le suspendais à quoi ?

— Et maintenant... dire que je n'ai plus entre les jambes qu'une limace qui pendouille. Blanche, molle, sans espérance.

Mon père trouva enfin le mot qu'il cherchait. Il sourit dans son for intérieur, l'écrivit, retrouva son calme. Maintenant, il pouvait également tranquilliser Harry.

— C'est normal. Quand le sentiment n'y est pas, on ne peut pas.

Harry, furieux, se mordait les lèvres. Sans crier gare il tourna vers lui la feuille de papier et se mit à lire : «Chère Lili ! J'ai vingt-cinq ans... » Mon père plaqua une main sur la lettre, Harry essaya de la retirer, ils se chamaillèrent un instant, mais mon père fut le plus agile et cacha la lettre dans la poche de son pantalon.

Chère Lili ! J'ai vingt-cinq ans, j'étais journaliste avant que la loi sur les juifs ne me prive de mon emploi...

Mon père avait développé un sens aigu des outrances poétiques.

Pour être d'une extrême précision, nous pourrions dire qu'il avait été journaliste pendant huit jours et demi. Le *Journal indépendant* de Debrecen l'avait embauché un lundi, comme coursier et véloce messager des faits divers – à la pire minute historique. La semaine suivante, la promulgation de la loi excluant les israélites de certaines professions brisait une carrière si brillamment commencée. Ses huit jours et demi de pratique professionnelle ne s'en inscrivirent pas moins à tout jamais dans sa biographie.

Bien entendu, il n'était guère facile, pour un jeune homme de dix-neuf ans, de se colleter avec la conjoncture. Un jour il a le crayon derrière l'oreille, le lendemain il doit crier, en équilibre sur le marchepied de la voiturette de vente ambulante : «Soda! Marchand de soda! Qui veut du soda?» Les dadas trottent, le vent siffle méchamment à ses oreilles.

... ensuite j'ai été, entre autres brillantes professions, vendeur ambulant de soda, ouvrier dans une manufacture de textile, enquêteur dans une agence de détectives privés, employé, courtier en publicité, et ce jusqu'en 1941, date à laquelle j'ai été requis par le service du travail obligatoire. À la première occasion je me suis évadé, je me suis réfugié chez les Russes. Pendant un mois j'ai lavé les assiettes dans un grand restaurant de Tchernowitz, puis je suis devenu membre d'une brigade internationale de partisans en Bucovine.

L'Armée rouge, par un stage intensif, avait formé les huit déserteurs hongrois à l'espionnage avant de les parachuter à l'arrière des positions ennemies. Les Russes, bien entendu, n'avaient aucune confiance en eux. Les Soviétiques, l'histoire le prouve, n'avaient confiance en personne. Mais puisque ces transfuges hongrois étaient là, ils décidèrent de les enrôler. J'imagine mon père, en pufaïka[1], sac au dos, s'agrippant à la porte ouverte de l'avion. Il regarde au-dessous de lui : le vide, les nuages, la nudité de la plaine. Il a la phobie du vide, la tête lui tourne, il a le vertige, il se détourne discrètement, il commence à vomir. Des mains brutales l'empoignent par-derrière et le poussent. C'est un fait avéré que ce jour-là, à l'aube, quelque part aux alentours de Nagyvárad[2], des soldats armés de mitraillettes les attendaient entre les arbres d'une maigre forêt. Quand le groupe de parachutistes ne fut plus qu'à quelques mètres du sol, ils eurent tout le loisir de les gratifier, un à un, d'une rafale.

Mon père pouvait se dire chanceux. Il avait été, de toutes les figurines de ce stand de tir d'un genre un peu particulier, la seule sur laquelle on n'avait pas fait mouche. Mais dès qu'il avait touché terre, on s'était jeté sur lui, on l'avait menotté et dès la nuit suivante transporté à Budapest où en moins d'une demi-heure on l'avait délesté de deux bonnes douzaines de ses dents.

*

---

1. Veste ouatinée russe.
2. Nom hongrois d'Oradea.

À Lärbro, dans la pâtisserie, Harry observait mon père avec envie.

— Combien ont répondu ?

— Dix-huit.

— Et tu vas correspondre avec les dix-huit ?

Mon père pointa le doigt vers la poche dans laquelle il avait caché la lettre.

— C'est celle-ci la bonne.

— Comment le sais-tu ?

— Je le sais.

3.

À l'hôpital d'Eksjö on avait installé Lili dans une chambre pour quatre. On était fin septembre. Un bouleau solitaire, de l'autre côté de la fenêtre, perdait déjà ses feuilles, se préparant pour l'hiver.

Le médecin-chef, le docteur Svensson, avait commencé de bonne heure à devenir chauve. Il était dans la force de l'âge, mais sa peau rose, qui rappelait celle d'un derrière de nourrisson, avait déjà commencé à se faire jour sous ses cheveux sans couleur. Il était petit, râblé ; sur le pouce de ses mains presque enfantines l'ongle était pareil au minuscule pétale d'une fleur de cerisier.

Il se dépêtra de son épais tablier fait de cuir et de toile métallisée, et passa dans la pièce voisine. Assise sur l'unique chaise de l'austère cabinet de radiologie, à côté de l'encombrante machine, Lili, dans la blouse rayée, délavée, de l'hôpital, attendait. Pâle, effrayée.

Le docteur Svensson s'accroupit à côté d'elle et lui toucha la main. Il était rassurant que cette petite

Hongroise sût parfaitement l'allemand. Les nuances étaient très importantes.

— J'ai étudié votre dernière radio. Celle d'aujour-d'hui ne sera prête que demain. Sachez que nous avons d'abord pensé à la scarlatine, mais nous pouvons l'exclure.

— Quelque chose de plus grave ?

Elle chuchotait, comme s'ils s'étaient trouvés dans une salle de spectacle.

— Oui, d'un certain point de vue. Ce n'est pas le résultat d'une contamination. Il n'y a pas à s'affoler.

— Qu'est-ce que j'ai ?

— Votre vilain rein qui fait sa mauvaise tête. Mais je vais vous guérir. Je vous l'ai promis.

Lili ne put retenir ses larmes. Le docteur Svensson lui prit la main.

— Ne pleurez pas, petite fille. Je vous en prie. Il faut de nouveau rester couchée. Strictement cette fois.

— Combien de temps ?

— Pour l'instant deux semaines. Ou trois. Ensuite nous verrons.

Il sortit son mouchoir. Elle se moucha, puis tamponna les larmes qui lui barbouillaient le visage.

Je n'ai pas de photo de moi... il y a deux jours je suis retournée à l'hôpital, et à présent c'est à Eksjö que je suis alitée.

*

Je déteste la danse, mais j'aime la gaieté et les poivrons farcis (naturellement avec une épaisse sauce tomate).

La légende familiale a conservé le souvenir du complexe que mon père développa précocement à l'encontre de la danse.

Il n'avait pas neuf ans; on lui mouilla les cheveux, on l'accoutra d'un complet-veston, on le traîna à l'hôtel du Taureau d'or. Déjà à l'époque sa vue n'était pas excellente; à cause d'une amétropie, d'épaisses besicles enlaidissaient son visage.

Au plus fort du bal, on le poussa au beau milieu d'un cercle de femmes et de jeunes filles. Celles-ci, tout en sautillant, applaudirent frénétiquement, encourageant les deux enfants qui se dandinaient d'un pied sur l'autre à tourner. La fillette, à laquelle la chronique a conservé le nom de Melinda, reprit ses esprits la première. Emportée par la vague de bonne humeur délirante, elle attrapa le bras de mon père et se mit à tourner. Aussitôt, il glissa sur le miroir du parquet fraîchement ciré. En position de crapaud, il assista de bout en bout à la récolte par Melinda du plus éclatant succès de la soirée.

Mon père et Harry, par le Korsbyvägen, reprirent le chemin du centre de réadaptation. Un vent violent soufflait. Mon père releva le col de son mince manteau de demi-saison. Harry, s'arrêtant soudain, lui prit le bras.

— Demande-lui si elle a une amie.

— Pas maintenant. Plus tard. Nous n'en sommes qu'au tout début.

Ce jour-là, le diable s'empara de la chambrée. Les hommes mirent la baraque sens dessus dessous, rapprochèrent les lits. Ils trouvèrent le moyen d'emprunter une guitare, et on découvrit que Jenö Grieger savait jouer sans trop d'accrocs les derniers refrains à la mode.

On se mit à danser. Au début, on ne fit que gambiller éperdument, mais le désir leur vint ensuite de jouer un rôle. Sans s'être concertés, ils se mirent dans la peau de divers personnages, imitant avec une fantasque désinvolture tant la morgue de l'officier des hussards que la légèreté des petites femmes. Ils claquaient les talons, faisaient la révérence, se grognaient à l'oreille, pleurnichaient. Déchaînés, ils tournaient, tournoyaient, comme par défi, comme si leurs instincts, refoulés pendant des mois, avaient tout à coup explosé. Une éruption volcanique.

Mon père ne prenait pas part à ces bouffonneries infantiles. Protestataire solitaire et muet, il se cantonnait dans son lit qu'on avait poussé dans le coin et qu'on avait barricadé avec les autres lits. Adossé au mur, son cher Nexö sur les genoux, il écrivait une lettre.

Vous ne dites rien de votre physique ! Mais vous allez penser que je suis un jeune gandin de Budapest transplanté en province et qui ne s'intéresse qu'à ça. Je vous le dis en confidence : ce n'est pas le cas.

*

On frappait. Lili ne leva pas les yeux, elle était en train de lire *Un capitaine de quinze ans*, un volume défraîchi, la traduction allemande du roman de Jules Verne dont le docteur Svensson lui avait fait cadeau le jour précédent.

Sára Stern se tenait dans l'embrasure de la porte, un balluchon à la main. Lili n'en revenait pas. Sára se précipita, s'agenouilla contre son lit, elles s'étreignirent. *Le Capitaine de quinze ans* glissa et tomba par terre.

— C'est Svensson qui m'a fait admettre ici. Près de toi. Pourtant je n'ai rien.

Pirouettant comme une danseuse de salon, Sára, en quelques secondes, se défit de ses vêtements, enfila sa chemise de nuit, se glissa dans le lit voisin.

Lili riait, riait, comme une folle.

À présent, comme je n'ai pas de photographie, je vais essayer de me décrire. Au physique, je me vois ronde (grâce aux Suédois!), de taille moyenne, brune. Yeux gris-bleu, lèvres minces, teint bistre. Vous pouvez m'imaginer belle ou laide. Quant à moi je n'ajouterai pas de commentaires. J'ai moi aussi une certaine idée de vous, je serais curieuse de savoir dans quelle mesure elle correspond à la réalité.

*

Le dimanche, à l'initiative de Lindholm, trois autocars transportèrent les malades au bord de la mer, à vingt kilomètres de l'hôpital.

Harry et mon père firent bande à part et ne tardèrent pas à trouver, dans une petite baie, une plage de sable déserte où ils se sentaient à l'aise. L'après-midi, lumineux, était un vrai don du ciel : celui-ci, telle une toile tendue au-dessus de leurs têtes, était d'un bleu de cobalt. Ils se déchaussèrent et se promenèrent avec ivresse dans l'eau qui leur léchait les chevilles.

Plus tard Harry disparut derrière un rocher. Mon père fit semblant de ne pas s'en être aperçu. Depuis peu Harry avait pris l'habitude, se cachant en divers endroits, de tester sa virilité. Les ombres s'allongeaient en cette fin d'après-midi. La silhouette de celui qui, derrière le rocher, avec une obstination méthodique, tentait de se satisfaire, se projetait sur le sable tel un dessin d'Egon Schiele. Mon père s'efforçait de fixer son attention sur les vagues, de se concentrer sur l'immensité lumineuse de l'horizon.

À présent je serais curieuse de savoir quelle idée vous vous faites du socialisme. Vous-même, comme il ressort de votre situation familiale, appartenez à la classe moyenne, tout comme moi avant que je ne rencontre le marxisme. Or la classe moyenne pense à son sujet de drôles de choses...

À Eksjö, l'automne était arrivé pendant la nuit avec une rapidité inattendue, accompagné de pluies verglaçantes et du sifflement des rafales. Dans leur chambre d'hôpital, les deux jeunes filles regardaient avec effroi le bouleau solitaire qui, de l'autre côté de la fenêtre, se courbait dans la tempête.

La distance entre leurs lits était si réduite à présent qu'en sortant la main de dessous leurs couvertures elles pouvaient s'arrimer l'une à l'autre. Elles chuchotaient.

— Si j'avais seulement douze couronnes !

— Tu en ferais quoi ?

Lili ferma les yeux.

— Il y avait, au coin de la rue des Myosotis, un marchand de primeurs. Maman m'y envoyait toujours chercher des fruits.

— M. Mackó ! Oui, c'est comme ça qu'il s'appelait.

— Ça, je ne m'en souviens pas.

— Moi si ! Un nom pareil ! M. « Nounours » ! Qu'est-ce qui t'a fait penser à lui ?

— Ça m'est revenu comme ça. Le mois dernier, à Smålandsstenar, quand j'étais encore bien, j'ai vu dans une boutique un étalage de poivrons verts...

— Oh là là ! Des poivrons verts ? Je croyais qu'ici ils n'en avaient pas.

— Moi aussi, je le croyais. Douze couronnes. Le kilo, je suppose. Ou la livre ?

— Ça t'a fait envie ?

— C'est bête, je le sais bien. Hier j'en ai rêvé. Je mordais dedans. Ça croquait sous la dent. Un rêve idiot.

Il pleuvait, pleuvait. La pluie battait les vitres. Les deux jeunes filles, rêveuses, la regardaient.

Mon amie Sára m'explique beaucoup de choses à propos du socialisme. J'avoue que jusque-là je ne m'étais pas beaucoup intéressée aux idées. Sára m'a donné un livre, je suis en train de le lire. Il s'intitule Moscou 1937[1]. *Vous l'avez sûrement lu depuis longtemps...*

---

1. Journal de voyage de Lion Feuchtwanger en URSS.

*

Une nuit mon père fut pris d'étouffements. Il n'eut pas le temps de crier. Il s'arrêta au milieu de la baraque, son corps se raidit, il essaya, la bouche ouverte, de happer de l'oxygène. Puis il tomba. Cette fois ce furent deux litres de liquide que l'on draina de sa cage thoracique.

Pour le restant de la nuit, on l'installa dans une minuscule chambrette. Harry se coucha sur le sol à côté du lit, afin de pouvoir immédiatement alerter Lindholm si mon père avait une nouvelle crise. Le médecin tenta vainement de le rassurer en lui disant qu'il n'avait pas à en redouter une semblable avant un moment.

— Que s'est-il passé?

La voix de mon père, calme et sereine, évoquait les battements d'ailes d'un oiseau blessé.

— Tu t'es trouvé mal. On t'a fait une ponction. Tu es actuellement en salle de réveil.

Le dur plancher de pin meurtrissait le flanc de Harry. Il préféra se redresser, s'asseoir en tailleur. Mon père demeura longtemps silencieux, puis, d'une voix tremblante, il dit :

— Écoute-moi, Harry. Je vais développer des branchies. On ne me roulera pas.

— Qui ça?

— Qui que ce soit. Personne ne sait combien je suis coriace.

— Je t'envie. D'être si fort.

— Toi aussi, tu vas te rétablir. Je le sais. La limace va devenir un pin qui grandit jusqu'au ciel. Et alors là, fini les pannes !

Harry se balançait d'avant en arrière. La dernière phrase de mon père le laissa rêveur.

— Tu crois ?

— Au fil de l'épée, les petites dames, au fil de l'épée ! l'assura mon père en s'efforçant de sourire.

En même temps il ne cessait de penser à ce qu'il avait écrit à Lili :

À présent, une question très bizarre : et côté amour, où en êtes-vous ? Mais vous allez finir par vous fâcher, je suis trop indiscret...

*

Sára, un après-midi, s'évada de l'hôpital militaire et courut, dans une bruine désagréable, jusqu'à la vieille ville : Eksjö, même après la guerre, restait une bourgade féerique, surtout dans sa partie ancienne. L'une des infirmières lui avait indiqué dans quelle rue elle trouve-rait le marchand de légumes le plus réputé. Comme si le destin avait voulu la récompenser, il n'y avait rien de moins, dans la vitrine, qu'un unique panier tressé, et dans ce panier quelques poivrons d'un vert poison, lourds et charnus.

Encore essoufflée, elle dut respirer profondément quatre ou cinq fois avant que les battements de son cœur aient retrouvé peu ou prou leur rythme normal.

Elle vérifia que la monnaie était bien dans sa poche et entra dans le magasin.

La réponse à votre question « bizarre » est simple : moi aussi j'ai eu des soupirants. Je sais que tout ce qui vous intéresse dès lors est de savoir si j'en ai eu plusieurs ou UN SEUL ? Devinez !...

*

Harry était le beau gosse de service de la baraque. Il jouait le gars sûr de lui, le conquérant, son sourire mystérieux donnait à penser que des douzaines de jeunes filles et de femmes avaient eu par lui le cœur brisé. Naturellement, nul en dehors de mon père ne savait rien de son petit souci.

Un jour, les autres mirent la main sur un flacon d'eau de Cologne que Harry conservait jalousement. Impossible de savoir comment il se l'était procuré. Parfois, quand il sortait en ville, une odeur pénétrante de lavande emplissait toute la baraque. Puis quelqu'un remarqua qu'il dissimulait le flacon entre son matelas et son sommier métallique, un gracieux flaconnet, quoique le verre en fût épais.

Un jour, en début de soirée, au moment de partir à la chasse, il glissa vainement la main dans sa cachette. La fiole d'eau de Cologne se mit à voler. Harry courait en tous sens, essayant de l'attraper. Les gars attendaient finement qu'il fût près d'eux pour la relancer, comme un ballon. Puis ils se lassèrent, dévissèrent le bouchon et commencèrent à s'asperger les uns les autres d'abondance. Harry, les larmes aux yeux, beuglant comme un veau, les implorait de lui rendre son flacon, pour lequel il avait emprunté l'argent.

Il y a dans notre chambre une sale engeance, voyez-vous, c'est pour ça que ma lettre est si désordonnée – rien que des Hongrois ! Et ils font un tel raffut qu'il est impossible d'écrire ! L'un d'entre eux a vidé le flacon d'eau de Cologne du don Juan de la chambre, il y en a eu jusque sur mon papier à lettres. Par ailleurs nous sommes de si joyeux drilles que c'en est presque dangereux.

Mais stop, j'y pense : avec quoi nous amuserez-vous si nous allons vous voir ?

*

Quand Sára revint de sa promenade dans la vieille ville, Lili dormait. D'une manière générale il n'était pas rare que les malades, dans la journée, sous l'effet de l'oisiveté et de la nourriture abondante, succombent au sommeil. Sára, en l'occurrence, s'en félicita. Délicatement elle déposa les deux poivrons verts sur l'oreiller, à côté du visage de Lili.

... l'idée que vous et votre ami, cher Miklós, nous rendiez visite nous a galvanisées...

*

En cours de journée, mon père et Harry arpentaient souvent ensemble, avec un zèle louable, les chemins du grand parc inclus dans le camp. Le voyage à Eksjö se rapprochant, Harry faisait preuve d'une empathie particulièrement vive, et il s'imagina mettre la main, d'une manière ou d'une autre, sur l'une des correspondantes de mon père, ou du moins de convaincre son ami de le programmer lui aussi dans la visite qui se profilait de plus en plus à l'horizon.

— Combien de kilomètres au juste ? s'enquit-il d'un air entendu.

— Deux cent soixante-dix.

— Deux jours pour l'aller, deux jours pour le retour. Nous n'aurons pas la permission.

Mon père marchait rapidement, sans lever les yeux.

— Nous l'aurons.

Pour Harry, il était important d'exclure tout doute concernant sa virilité.

— Je suis de plus en plus en forme. Le matin je me réveille avec une de ces triques !

Il montra la taille, des deux bras, mais mon père resta sans réaction.

En tout cas n'oubliez pas que je serai votre cousin. Harry, lui, sera l'oncle de votre amie Sára. J'attire cependant votre attention sur le fait qu'à la gare, dès la gare, l'embrassade sera familiale ! Il faut veiller aux apparences.

C'est en partie en ami que je vous serre la main, en partie en parent que je vous embrasse, Miklós.

*

À Eksjö, l'un des rares matins ensoleillés, la porte s'ouvrit brusquement et Judit Gold, ronde de partout et moustachue, apparut dans l'encadrement. Lâchant son balluchon, elle ouvrit tout grand les bras.

— Svensson m'envoie ici moi aussi ! Anémie pernicieuse ! Nous pouvons être ensemble !

Sára vola vers Judit, elles tombèrent dans les bras l'une de l'autre. Lili aussi se leva de son lit, bien que ce lui fût strictement interdit. Enlacées, elles se mirent à danser devant la fenêtre, puis s'assirent sur le lit de Lili. Judit prit la main de Sára entre les siennes.

— Il t'écrit encore ?

Lili attendit un instant. Depuis peu elle étudiait les avantages, petits mais perceptibles, du suspense. Lentement, théâtralement, elle se leva, alla à sa table de nuit, ouvrit le tiroir. Elle en tira une liasse de lettres réunies par un élastique et la brandit :

— Huit !

Judit leva les bras au ciel.

— Un travailleur.

Sára lui tapota le genou.

— Et si tu savais comme il est intelligent ! Et socialiste !

Cela faisait beaucoup. Judit fit la moue.

— Pouah ! Je déteste les socialistes.

— Lili ne les déteste pas.

Judit prit les lettres dans la main de Lili et les renifla.

— Tu es sûre qu'il n'est pas marié ?

Lili en fut ébahie. Pourquoi les reniflait-elle ?

— Comme de deux fois deux font quatre.

— Il faudrait vérifier. Moi, je me suis fait si souvent avoir.

Judit Gold était leur aînée d'au moins dix ans. Ce n'était pas une beauté, mais elle pouvait avoir quelque expérience. Lili lui reprit les lettres, ôta l'élastique et ouvrit la première.

— Il écrit : «Je me dépêche de vous annoncer la bonne nouvelle : on peut écrire en Hongrie. Seulement en anglais, il est vrai, et brièvement. Vingt-cinq mots au maximum. Les formulaires d'autorisation doivent être demandés soit au consulat, soit à Svenska Röda Korset, Stockholm 14.» Qu'est-ce que tu en dis ?

La nouvelle était véritablement réjouissante. Elles se perdirent toutes les trois dans leurs pensées.

Lili se recoucha et, posant les lettres sur son ventre, fixa le plafond.

— Aucune nouvelle de maman. Ni de papa. Je n'aime pas y penser. Vous n'avez pas peur, vous autres ?

Elles n'osaient pas se regarder.

*

Ce jour-là, la lumière était pauvre, le ciel couvert, et dans l'île de Gotland aussi l'automne s'était furtivement installé[1]. Lindholm fit à son de trompe rassembler pour midi les habitants du camp. Dans un style télégraphique il leur annonça qu'un changement d'importance allait intervenir dans leur situation. La bonne nouvelle était

---

1. Référence à un poème d'Ady, «L'automne est entré dans Paris».

qu'aucun d'entre eux n'était plus contagieux. Mais l'autre nouvelle était que le lendemain le contingent hongrois du secteur hospitalier quittait Lärbro pour le camp-hôpital récemment installé dans la petite ville d'Avesta, laquelle se trouvait dans la partie nord de la Suède, à quelque deux cents kilomètres de leur actuelle résidence. Le médecin-chef, le docteur Lindholm, partirait avec eux.

*

Ballottés pendant un jour et demi au rythme de paisibles tortillards, ils arrivèrent à Avesta.

Au premier abord, leur nouvelle demeure leur parut un lieu maudit. Elle se trouvait au milieu d'une épaisse forêt, à sept kilomètres de la ville, un grillage en faisait le tour, une gigantesque cheminée d'usine se dressait au milieu du camp.

On les logea dans des baraques aux murs de briques. Peut-être auraient-ils plus facilement accepté le changement si le temps, lugubre, n'avait pas autant assombri leur humeur. À Avesta le vent soufflait en permanence, tout était couvert de givre, et le disque du soleil, couleur d'orange trop mûre, ne se montrait que quelques minutes.

Devant leur fenêtre s'ouvrait un petit espace bétonné où l'herbe, bonne ou mauvaise, avait commencé à reprendre ses droits. Cette cour avait indubitablement une sorte de charme idyllique. Il y avait là une longue table de bois et des bancs, comme dans une ferme de la Grande Plaine. Le soir, malades et convalescents venaient s'y asseoir, emmitouflés dans des plaids et des couvertures.

Lindholm avait fait en sorte qu'on reçût également, trois fois par semaine, avec un délai de vingt jours, un journal hongrois.

Quand il arrivait, chiffonné, imprimé sur du mauvais papier, les hommes le séparaient en quatre morceaux qu'ils se répartissaient pour en dévorer les articles, par petits groupes, penchés les uns sur les autres.

La lampe, au-dessus de leurs têtes, dansait dans le vent. De temps en temps, dans la pâle lumière, ils s'échangeaient les pages.

Ils ne lisaient pas à voix haute, mais leurs lèvres bougeaient, et leur âme s'envolait vers le lointain pays.

Remis en état, le bâtiment à vapeur, de la force de deux cent cinquante chevaux, appareille pour son premier voyage.

Le peintre soviétique Guerassimov fêté à l'hôtel Gellért.

Trois cents paires de bœufs offertes au comitat de Kecskemét par le commandement soviétique.

Une compétition cycliste organisée à Szeged.

Mise en route du tournage de *L'Institutrice*.

Figurez-vous que nous nous sommes procuré un numéro du mois d'août du Peuple de Kossuth *! Nous avons tout lu, même les réclames ! Les théâtres sont pleins ! Un journal de quatre pages vaut deux pengös, un kilo de farine en vaut quatorze. Le tribunal du peuple condamne l'un après l'autre les Croix fléchées ! Les rues ont de nouveaux noms.*

La place Mussolini est la place Karl-Marx. Le pays tout entier est optimiste, il veut travailler. Les institutrices et les professeurs doivent suivre des cours de reconversion. Le discours inaugural a été prononcé par Mátyás Rákosi. Mais toute cette politique vous ennuie certainement...

*

À Avesta, la salle de radiographie, minuscule, ne différait en rien de celle de Lärbro, si ne n'est qu'au plafond, mince comme le fil d'une toile d'araignée, courait une fissure qui n'aboutissait à rien. Mon père la trouvait symbolique et y associait de vagues espérances.

On lui faisait de nouvelles radios. Ici aussi, le temps de la prise d'image, il plaquait à la machine son thorax en entonnoir et ses maigres épaules. Ici aussi, un chuintement léger marquait la fin de l'opération, et mon père portait de la même façon la main à ses yeux quand la porte s'ouvrait et que la lumière chassait l'obscurité. Dans l'encadrement de la porte, c'était toujours le même Lindholm qui se dressait, sanglé dans son tablier de protection.

L'interprétation des clichés avait lieu le lendemain. Mon père entrait dans le cabinet du médecin, et toujours prenait place sur la même chaise, en face du bureau. Aussitôt il se renversait un peu en arrière, et les deux pieds avant de la chaise décollaient. Il avait pris à Avesta cette agaçante habitude à la suite d'un pari en vertu duquel, pour chaque chose d'une importance vitale, il devait maintenir sa chaise dans cet équilibre précaire. Il déportait le poids de son corps et se stabilisait sur les deux pieds arrière, comme un sale gamin. Pendant ce temps, bien sûr, il se concentrait farouchement.

Lindholm regarda mon père dans les yeux.

— Les clichés sont réussis. Nets, analysables.

— Un changement?

— Je ne peux rien affirmer.

Boum! La chaise était retombée sur ses quatre pieds.

— Renoncez à ce voyage. En outre nous sommes ici très loin d'Eksjö. Je ne sais même pas combien il faut de temps pour y arriver.

— Trois jours suffiraient.

— À l'aube vous avez une fièvre persistante. Il n'y a pas de miracles.

— Ce n'est pas de moi qu'il s'agit. Ma petite cousine est seule et dépressive. Je suis la vie pour elle.

Lindholm considéra mon père d'un air rêveur.

Sa femme et lui avaient déjà emménagé à sa nouvelle affectation. Il décida d'inviter mon père chez eux. Peut-être, au cours d'un dîner amical en famille, parviendrait-il à détourner ce jeune homme charmant mais têtu de son idée fixe.

*

L'appartement des Lindholm donnait sur une voie ferrée, de temps en temps un convoi passait à grand bruit. Mon père s'était habillé pour la circonstance, il avait emprunté une veste et une cravate et avait le trac dans cet accoutrement pour lui inhabituel. La conversation avait démarré en grinçant, mon père pourtant était en bons termes avec l'épouse du médecin, Márta, qui avait été affectée auprès d'eux, à Avesta, comme infirmière principale.

Márta servit le chou farci. Lindholm suspendit sa serviette à son cou.

— Márta l'a cuisiné exprès pour vous. Un plat hongrois, à ce que je sais.

Sous la fenêtre un omnibus passa en sifflant.

— L'un de mes préférés, dit mon père quand le silence fut revenu.

Il rompit le talon du pain et rassembla soigneusement les miettes. Márta lui tapa sur la main.

— Si vous ne cessez pas de faire le ménage, je vous envoie faire la vaisselle.

Mon père devint tout rouge. Pendant un court instant, on souffla sur le chou brûlant.

Mon père toussota.

— Le docteur parle un hongrois époustouflant.

— Là, c'est moi qui marque le point. Pour tout le reste, c'est Erik le patron.

Márta adressa un sourire à Lindholm.

On mangea. Un peu de la sauce grasse du chou coula au bord des lèvres de mon père. Márta lui tendit une serviette. Mon père, à la torture, s'essuya longuement le visage.

— Je peux vous demander comment vous vous êtes rencontrés ?

Márta, qui même assise arrivait à peine au niveau de la table, s'allongea entre les verres et posa la main sur le bras de son mari.

— Je peux raconter ?

Lindholm fit signe que oui.

— Il y a tout juste dix ans. Une délégation de médecins suédois était reçue à l'hôpital Saint-Roch, à Budapest. J'y étais infirmière en chef.

Márta avait dit cela d'une seule traite, mais soudain elle s'interrompit. Lindholm but une gorgée de vin, sans venir à son secours.

— Arrivée à l'âge ingrat, j'étais devenue la risée de tous. Regardez-moi, Miklós, vous comprenez pourquoi, n'est-ce pas ? En classe, s'il fallait ouvrir une fenêtre, je devais demander à une autre. J'avais seize ans. Un jour, j'ai annoncé à ma mère que dans quelques années je partirais en Suède, que je m'y marierais. Je me suis inscrite à un cours de langue.

Au-dehors, on entendit le grondement heurté d'un train de marchandises, aussi proche que s'il était passé entre eux et leurs assiettes.

— Pourquoi en Suède ?

Lindholm riposta, du tac au tac :

— Il est bien connu que c'est ici qu'on trouve les hommes les plus petits.

Il fallut cinq secondes à mon père pour oser rire. Ce qui enfin détendit l'atmosphère. Comme si on avait levé un blocage. La gêne avait disparu.

— En 1935, je parlais déjà suédois couramment. À l'époque le docteur Lindholm en avait assez de sa femme précédente, une géante d'un mètre quatre-vingt. Je ne me trompe pas, Erik ?

Lindholm, gravement, acquiesça.

— Que pouvait-on faire? Un soir, je l'ai séduit. À Saint-Roch, à côté de la salle d'opération. N'est-ce pas, Erik, je n'ai rien oublié? Maintenant, Miklós, à votre tour. Dans vos lettres, vous avez mis la petite jeune fille au courant de votre état?

Mon père, qui jusque-là se débattait surtout avec sa serviette, prit en hâte son couteau et sa fourchette et gloutonnement se mit à manger.

— En gros seulement.

— Je ne suis pas du même avis qu'Erik. Voyagez, distrayez-la... votre cousine. Et vous aussi, amusez-vous.

Lindholm soupira, prit la bouteille de vin, en versa dans les trois verres.

— J'ai reçu la semaine dernière une lettre d'un de mes confrères qui travaille à Ädelfors.

Il se leva d'un bond, se précipita dans la pièce voisine. Moins d'une minute plus tard, il en ressortait, une lettre à la main.

— Je voudrais vous en lire un passage, Miklós. À Ädelfors, il y a aussi un camp, un centre de réadaptation pour quatre cents femmes. Or cinquante d'entre elles ont dû être transférées dans un autre camp où la surveillance est plus stricte.

Il brandit la lettre.

— Pourquoi, à votre avis?

Mon père haussa les épaules. Lindholm n'attendit pas la réponse.

— Libertinage. Je vous lis, écoutez bien : «... les jeunes filles recevaient des garçons dans les dortoirs ou les rencontraient dans les clairières de la forêt voisine...»

Il y eut un silence. Puis la petite Márta demanda :

— C'étaient des Hongroises ?

— Ça, je l'ignore.

Mon père, lui, connaissait la réponse.

— Des filles de la haute, des enfants gâtées !

Il y avait dans sa voix tant de mépris que Márta posa sa fourchette.

— Qu'entendez-vous par là, Miklós ?

Mon père abordait enfin en terrain connu. Il adorait cela... Le passé vétuste dont le vent socialiste allait faire table rase.

— Ces femmes ont une morale spéciale, qui leur appartient comme sa peau au serpent. Elles fument, elles ont des fume-cigarette, elles portent des bas nylon, elles sont le flot qui babille, l'eau profonde fait silence[1].

Ce type d'approche n'intéressait aucunement Lindholm.

— Cela, je n'en sais rien. Tout ce que je sais, c'est que l'occasion fait le larron.

Mais mon père, une fois son thème de prédilection abordé, ne s'en laissait plus aussi facilement décrocher.

— Cette morale de bourgeois, il n'y a qu'une manière de la soigner.

— Laquelle ?

— Il faut construire un monde neuf ! Sur des bases nouvelles !

Dès lors, le dîner ne fut plus qu'un hymne entonné avec élan par mon père à la gloire de la trinité rédemp-

---

1. Allusion au poème « Sur le bord du Danube », d'Attila József.

trice : Liberté, Égalité, Fraternité. Il ne s'était même pas rendu compte qu'ils avaient englouti le dessert.

Il était plus de minuit quand l'auto de Lindholm vira et s'arrêta devant la barrière de l'entrée du camp. Mon père, tout content, s'extirpa de la voiture, et c'est tout à l'espoir du prochain voyage à Eksjö qu'il prit congé du médecin. Dans la baraque, il alluma une bougie, s'accroupit, et porté par sa propre exaltation il conçut, résumée en une lettre de quatre pages, une théorie destinée à sauver le monde.

Je serais heureux que vous me donniez votre opinion sur les questions ci-dessus. D'autant plus que vous appartenez à la classe moyenne et les considérez vraisemblablement du point de vue de votre classe...

4.

Trois semaines plus tard Svensson permit pour la première fois à Lili de se lever. Perdue, elle erra dans les couloirs dallés de petits carreaux où une fade odeur de pharmacie se mêlait à celle, écœurante, du poisson fraîchement nettoyé. Le secteur des femmes se trouvait au troisième étage. L'hôpital soignait par ailleurs de maussades militaires suédois.

Svensson avait également fait en sorte que Lili pût passer son premier dimanche dans la respectable famille Björkman. Quand les jeunes filles, deux semaines plus tôt, avaient été transférées au camp de Smålandsstenar, une famille de parrainage avait été attribuée à chacune. Lili s'était retrouvée parrainée par les Björkman, dont le chef de famille, Sven Björkman, dirigeait dans la ville une petite papeterie et passait, ce qui n'était pas secondaire, pour un fervent catholique.

Lili n'avait pas atterri chez eux par hasard. Depuis sa « trahison », cinq mois ne s'étaient pas écoulés. En mai, quand elle était revenue à elle à l'hôpital de Bergen après la libération du camp de concentration, elle avait immédiatement et définitivement rompu avec sa judéité. C'était à vrai dire fortuitement qu'elle avait opté pour les catholiques, mais à son arrivée la minutie et l'empathie suédoises lui avaient assigné la famille Björkman.

Le dimanche, au petit matin, Björkman et sa femme se rendirent en voiture à Eksjö, attendirent Lili à l'entrée de l'hôpital, la serrèrent dans leurs bras pour lui marquer leur joie de la revoir, puis la conduisirent directement à la messe.

L'église de Smålandsstenar était simple, spacieuse et claire. La famille Björkman y prit place sur le banc de la troisième travée, de nouveau complétée de Lili Reich, la petite convalescente hongroise. Des visages radieux se tournaient vers la chaire sobrement décorée. En suédois, Lili ne comprenait que quelques mots, et le sermon du dimanche s'épancha en elle avec la même solennité que la fugue, jouée à l'orgue, qui s'ensuivit. Après quoi elle se mit elle aussi dans la file afin que le jeune prêtre aux yeux terriblement bleus lui déposât l'hostie sur la langue.

Cher Miklós, une autre fois, je vous le demande instamment, ne vous pressez pas autant, mais réfléchissez bien à ce que vous écrivez et n'oubliez pas à qui vous écrivez. Nos relations ne sont pas si intimes que vous puissiez parler AINSI de cela avec moi. Parfaitement, je suis le type même de la fille de bourgeois! Et si sur quatre cents femmes il y en a cinquante de cet acabit, j'espère que vous ne vous en étonnez pas!

Ce même dimanche soir, dans le réfectoire du camp d'Avesta, mon père et Harry se sustentaient de quelques brioches et d'un verre d'eau de Seltz. Ils auraient pu fêter l'aubaine de cet instant rare où ils se retrouvaient seuls, tous les deux, dans la grande bâtisse, mais mon père était si affligé qu'il ne s'en rendait même pas compte. Il marmonna :

— J'ai tout gâché.

Harry eut un geste de protestation.

— Allons donc ! Elle va se calmer.

— Jamais. Je le sens.

— Alors tu en trouveras une autre avec qui correspondre.

Mon père, indigné, leva les yeux. Il ne pouvait tout simplement pas croire que Harry pût à ce point ne pas comprendre.

— Il n'y en a pas d'autre. C'est elle ou je meurs.

Harry ricana.

— Des mots, des mots...

Mon père trempa le doigt dans l'eau de Seltz, et sur le bois de la table il écrivit : « LILI ». Puis, découragé, il ajouta :

— Ça aussi ça va sécher.

Harry eut alors une idée lumineuse.

— Envoie-lui un de tes poèmes !

— C'est trop tard.

Harry bondit.

— Je n'aime pas les juifs tristes. Je t'apporte un dessert. Je vais suborner quelqu'un ou voler pour toi. Mais ne me fais pas cette figure d'enterrement.

Harry traversa l'immense bâtisse, franchit une porte battante, pénétra dans la cuisine. Là non plus il n'y avait personne. Il ouvrit les placards et finit par trouver, au fond de l'un d'eux, un pot de miel. Il retourna tout heureux auprès de mon père.

— Je n'ai pas de cuiller. Trempe un doigt...

Il montra l'exemple.

Mon père, assis sur le banc, fixait la table sur laquelle on ne voyait plus que le jambage du L. Harry suçait son index.

— Bon. Tu as un crayon, du papier ? Sors-les, je te dicte.

Mon père leva enfin les yeux.

— Quoi ?

— La lettre. À elle. Tu es prêt ?

Mon père, surpris, sortit de sa poche papier et crayon.

Harry manifestait tant d'assurance, tant de bonne humeur, qu'il avait réussi à fendiller légèrement la cuirasse de son désespoir.

Il plongea son doigt dans le miel, le suça, et dicta :

— «Chère Lili ! Je dois te dire que les stupides femelles qui éprouvent de la honte à parler de choses semblables ne m'inspirent que mépris et me font rire... »

Mon père abattit son crayon.

— Quelle goujaterie ! Tu la tutoies ? ! Et tu veux que je lui envoie ça ? !

— Vous correspondez depuis un mois. Il est temps de passer au tutoiement. Moi, je suis à l'extérieur, je vois ça mieux que toi.

*

Le dimanche suivant, quand Sven Björkman eut dit le bénédicité, quand les deux enfants Björkman se furent quelque peu calmés, quand Mme Björkman, avec sa précision habituelle, eut versé à chacun sa part de potage, le papetier, sans regarder Lili, demanda :

— Où as-tu caché la croix, Lili ?

Peut-être Björkman savait-il à peine l'allemand, ou peut-être voulait-il tester le suédois de Lili. Elle le dévisagea sans comprendre. Il répéta sa question en suédois, mais cette fois, pour l'aider un peu, il montra la croix qu'il portait à son propre cou.

Lili rougit. Fouillant dans sa poche, elle en ressortit la petite croix d'argent et la mit à son cou.

Björkman la contempla avec bonté.

— Pourquoi l'enlèves-tu ? Si nous te l'avons donnée, c'est pour que tu la portes. Toujours.

Lili, à l'intonation, dut comprendre le reproche. On ne parla plus de tout le repas.

Mis à part le ton bizarre et le goût douteux de votre dernière lettre vous êtes un garçon très gentil, c'est pourquoi je ne veux pas laisser cette lettre sans réponse. Mais je ne suis pas certaine qu'une pareille «fille de bourgeois» vous convienne comme amie. Et le tutoiement me semble prématuré...

Mon père, à Avesta, avait son thermomètre personnel. Chaque jour à l'aube, à quatre heures et demie précises, comme éveillé par le tintement d'un réveil intérieur, il le cherchait à tâtons dans le tiroir de sa table de nuit, le trouvait et, les yeux toujours fermés, se le mettait dans la bouche. Mentalement, sans hâte, avec régularité, il comptait jusqu'à cent trente.

Depuis des mois la colonne de mercure s'arrêtait toujours au même niveau. Mon père ouvrait les yeux un dixième de seconde, il n'avait pas besoin de s'attarder à interroger les traits minuscules indiquant les degrés. Il replaçait le thermomètre dans le tiroir, se tournait de l'autre côté et continuait à dormir. 38,2, ni plus ni moins, obstinément. La fièvre, comme un cambrioleur, venait, escroquait sa confiance, et disparaissait dans la grisaille de l'aube.

À huit heures du matin, quand mon père se levait, sa température était redevenue normale.

Chère Lili! Quel épouvantable gougnafier je suis! En quoi toute cette immaturité qui est la mienne vous concerne-t-elle? Je vous adresse une cordiale poignée de main. P.-S. : Puis-je encore vous envoyer ceci?

Les trains postaux suédois acheminaient en général une lettre en deux jours. Quand celle contenant les explications embarrassées de mon père arriva, Lili et Sára se pelotonnèrent dans le coin du lit de Lili. Celle-ci lut à voix haute :

— «Post-scriptum : Puis-je encore vous envoyer ceci?»

Sára réfléchit.

— À présent, pardonne-lui.

— C'est fait.

Lili roula sur le lit pour aller prendre l'enveloppe dans la table de nuit.

— Je ne l'ai pas cachetée tout de suite.

Elle chercha le passage qu'elle voulait montrer à Sára.

— C'est ici. « Oui, mon ami, tu es vraiment un gougnafier ! Mais si tu te conduis bien, tu peux me tutoyer. Et si dans ma prochaine lettre je te tutoie en retour, cela sera la preuve que nous sommes de nouveau bons amis. »

Elle regarda Sára triomphalement.

Celle-ci sourit, mais remarqua :

— Les hommes !

*

À l'entrée du camp d'Avesta il y avait en permanence quatre vélos à la disposition de tous, et qui le désirait pouvait s'en servir pour aller de la forêt à la ville. Depuis que le froid s'était installé, le soleil de midi ne suffisait pas à faire fondre le bonnet de neige des sapins ; mon père et Harry devaient s'emmitoufler la tête pour que leurs oreilles ne gèlent pas pendant le quart d'heure du trajet.

Même ainsi ils ne parvenaient pas à réchauffer de leur souffle leurs doigts engourdis. Assis sur leurs mains, ils attendirent leur tour au bureau de poste principal de la petite ville. Mon père n'était pas au mieux de sa forme.

De leur place, on pouvait voir les trois cabines téléphoniques à porte vitrée. Elles étaient occupées. Mon père était dans ses petits souliers.

Au bout d'un long moment, l'une des cabines se libéra. En face, la préposée porta son écouteur à son oreille. Elle regarda mon père, dit quelque chose dans le combiné, puis fit un signe.

Judit Gold gravit à perdre haleine les marches de l'escalier. Peu s'en fallut qu'elle ne renverse au passage les infirmières et médecins qui descendaient vivement. Dans la chambre, assises sur l'appui de la fenêtre ouverte, Lili et Sára lisaient.

Judit Gold entra précipitamment.

— Lili! Lili! Téléphone pour toi!

Lili la regarda sans comprendre.

— Fonce! C'est Miklós qui t'appelle!

Lili, rougissante, descendit d'un bond de la fenêtre. Elle avait des ailes. Elle se jeta dans l'escalier, dévala jusqu'au sous-sol de l'hôpital où un poste téléphonique avait été installé pour les malades. Une infirmière qui en sortait la regarda, stupéfaite. Lili vit qu'on avait posé le combiné sur la table. Elle freina, ralentit, s'arrêta. Elle toucha timidement le combiné, le porta prudemment à son oreille.

— C'est moi...

Mon père avait la voix rauque. Il ne put s'empêcher d'attaquer à l'octave.

— C'est exactement comme ça que j'imaginais votre voix. C'est magique!

— Je suis essoufflée. J'ai couru. Ici nous n'avons qu'un téléphone, dans le bâtiment principal, et nous...

Mon père se mit à bredouiller.

— Reprenez votre souffle. En attendant, c'est moi qui vais parler, d'accord? Si je vous appelle, c'est que depuis hier on peut envoyer des lettres chez nous, par avion, via Londres ou via Prague, oui, chez nous! On peut écrire en hongrois, et envoyer des télégrammes! Vous allez enfin pouvoir retrouver votre maman! Cela m'a fait tellement plaisir, j'ai pensé que j'allais tout de suite vous téléphoner pour vous en informer!

— Mon Dieu!

— J'ai dit quelque chose de mal?

Lili serrait si fort le combiné qu'elle en avait les jointures livides.

— Maman... je ne sais pas... je ne connais pas son adresse... Nous avons dû quitter notre ancien appartement, aller dans une maison étoilée[1]... et maintenant j'ignore où elle peut habiter. Mon Dieu!

La voix de mon père retrouva son soyeux.

— Oh, quel fou je suis, bien sûr! Mais nous ferons passer un message! Nous le ferons paraître dans le *Világosság*! Là-bas, chez nous, tout le monde le lit! J'ai mis un peu d'argent de côté, je m'en charge.

Lili s'étonna. Même en ce vibrant instant d'exception, l'idée lui traversa l'esprit que les cinq couronnes hebdomadaires n'y suffiraient pas.

— Ces économies, d'où les tenez-vous?

— Je ne te l'ai pas écrit... oh pardon, pardon... je voulais dire, je ne vous l'ai pas...

---

1. Maison marquée de l'étoile jaune où les juifs, à partir d'avril 1944, furent contraints de se regrouper. Commencèrent alors les rafles et les déportations.

Une bouffée de chaleur envahit Lili, peut-être était-ce aussi sa fièvre, la température qui montait brusquement.

— Vous pouvez me tutoyer !

La poste d'Avesta fut soudain pour mon père un palais. Il fit signe à Harry, assis à seulement quelques mètres de la cabine : un grand coup de poing, heureux, libéré, qu'il lança dans le vide.

— Eh bien, figure-toi, j'ai un oncle à Cuba... Mais je vais te l'écrire, c'est long.

Les paroles lui manquèrent.

Ils se turent un instant.

Chacun, frénétiquement, pressait le combiné contre son oreille.

Ce fut Lili qui reprit.

— Comment vas-tu ? Je veux dire, ta santé... ?

— Moi ? Très bien. Tous les examens sont négatifs. J'avais une tache minuscule sur le poumon gauche. Un petit peu d'eau, un reste de pleurésie. Rien de grave. Je suis actuellement au milieu du traitement. Et toi ?

— Moi aussi je vais bien. Je n'ai mal nulle part. Je dois prendre du fer, en pilules.

— De la fièvre ?

— De la température. Néphrite. Ce n'est rien. C'est seulement la vitesse de sédimentation qui est élevée.

— Combien ?

— Trente-cinq.

— C'est affreux !

— Mais non ! J'ai un excellent appétit !... Je t'attends très fort... Nous vous attendons tous les deux !

— D'accord. Je fais le nécessaire. En attendant... je t'ai écrit un poème.

— Pour moi?

Lili s'empourpra.

Mon père respira profondément et ferma les yeux.

— Je te le récite?

— Tu le sais par cœur?

— Bien sûr.

Mon père dut prendre rapidement une décision. À dire vrai, il avait déjà écrit six poèmes pour Lili. Il devait en choisir un immédiatement et cela le désespérait. Allait-il bien choisir?

— Il s'intitule : «Lili»!... Tu es toujours là?

— Oui.

Mon père, les yeux toujours fermés, s'adossa à la paroi de la cabine.

> *J'ai mis le pied sur une flaque*
> *dont la glace grise a craqué.*
> *Si tu touches mon cœur, prends garde :*
> *il faut si peu pour le blesser.*
> *Il ne faut pas rompre la glace*
> *dont il a fait sa carapace.*

— Tu es toujours là?

Lili ne respirait plus.

Il devina sa réponse plus qu'il ne l'entendit.

— Oui.

Mon père était-il lui aussi pris d'effroi, ou était-il seulement enroué? À cause de la distance, l'air crépitait dans le combiné. Les mots bruissaient au-dessus de lui, comme le murmure de la mer.

— Alors je continue :

Puisses-tu, le sourire aux lèvres,
légère comme un papillon,
découvrir la place où naguère
la douleur s'est faite glaçon.
Et puisse par toi caressé
le givre se fondre en rosée.

5.

Le local que l'hôpital militaire d'Eksjö avait mis à la disposition de la LOTTA – l'organisation de volontaires auxiliaires suédoises – pour les entretiens était exigu, sans fenêtre et d'un dépouillement scrupuleux. Il n'y avait place que pour un bureau, auquel faisait face une unique chaise de café destinée aux visiteurs.

La préposée de la LOTTA, Mme Anne-Marie Arvidsson, taillait minutieusement son crayon après presque chacune des phrases qu'elle écrivait. Elle s'exprimait en allemand, lentement, en détachant chaque syllabe pour que Lili comprenne exactement les nuances. Elle avait déjà tout expliqué à cette charmante petite Hongroise. Y compris des choses qui ne la concernaient pas. Elle lui avait dit quels risques prenait la Suède en accueillant autant de malades. Que la Croix-Rouge internationale avait beau généralement couvrir les dépenses, il en surgissait toujours tout un tas d'imprévues. Sans parler du problème récurrent de l'hébergement. Malgré toute sa bonne volonté, elle ne pouvait pas approuver de telles initiatives individuelles.

— ... par principe, il faut que vous le sachiez, chère Lili, je ne suis pas d'accord pour ce type de visites.

Lili revint à la charge, mais elle commençait elle aussi à se lasser.

— Quelques jours. À qui cela fait-il mal ?

— Mal, non, mais à quoi bon ? Arriver de l'autre bout du pays. C'est beaucoup d'argent. Et quand ces jeunes gens seront ici ? Au milieu de trois cents malades ! Nous sommes un hôpital, pas une pension de famille ! Y avez-vous pensé, chère Lili ?

— Je ne l'ai pas vu depuis un an et demi.

Lili lui adressa un regard suppliant.

Anne-Marie Arvidsson crut découvrir un grain de poussière sur la table qui brillait comme un sou neuf. Elle le fit soigneusement disparaître.

— Supposons que je donne mon autorisation. Que mangeront-ils, vos cousins ? La LOTTA n'a pas de poste pour la nourriture.

Lili haussa les épaules.

— Quelque chose. N'importe quoi.

— Vous avez vite fait d'évacuer les problèmes, ma chère Lili. Ces garçons aussi sont dans des camps. Je ne comprends déjà pas avec quoi ils achèteront leur billet de train.

— Un membre de notre famille vit à Cuba.

Anne-Marie Arvidsson haussa les sourcils. Elle nota quelques mots sur le papier devant elle, tailla de nouveau son crayon.

— Et ce membre de votre famille financerait la visite directement de Cuba ?

— Dans la famille nous nous aimons beaucoup.

Anne-Marie Arvidsson se mit enfin à rire.

— Vous savez ce que vous voulez. Je vais essayer de faire quelque chose. Je ne vous promets rien.

Lili bondit de joie. Gauchement elle se pencha par-dessus la table et appliqua un gros baiser sonore sur la joue de Mme Anne-Marie Arvidsson. Puis elle sortit en trombe de la pièce, renversant sa chaise au passage.

Anne-Marie Arvidsson se leva, remit soigneusement la chaise debout, sortit son mouchoir et, perdue dans ses pensées, effaça sur sa joue la trace du baiser.

*

À Stockholm, le rabbin Emil Kronheim grimpa leste-ment dans le train. De complexion ascétique, il était petit et maigre. Ses cheveux lui faisaient comme une meule de foin sur la tête.

Depuis que le gouvernement suédois lui avait fait l'honneur de lui demander d'offrir, en ces temps difficiles, son soutien spirituel à ses concitoyens et coreligionnaires, son nom et son adresse figuraient sur les journaux muraux de tous les camps de réadaptation de Suède. Pour cette raison Emil Kronheim, trois semaines sur quatre en che-min, parcourait le pays en tous sens. Parfois il organisait des activités collectives, parfois il écoutait une seule et même personne pendant des heures, bougeant à peine, n'apportant réconfort que par des clignements d'yeux, jusqu'au moment où la grisaille du soir, qui tombait tôt, étendait sa pénombre. Il n'était jamais fatigué.

Il n'avait qu'une seule manie qu'on pouvait presque qualifier d'amusante : le hareng. Le rabbin ne pouvait

75

résister au hareng au vinaigre. Cette fois, par exemple, il avait voyagé en lisant le journal, et ce faisant il avait mangé du hareng qu'il prenait dans un papier graisseux. De l'autre côté de la fenêtre se déroulait un paysage qui lentement se revêtait de blanc.

Il descendit à la gare d'Eksjö. Il pleuvait à verse. Le rabbin se dépêcha de traverser le quai.

Dans l'hôpital militaire séjournaient à sa connaissance trois de ses coreligionnaires. De l'une d'elles il avait reçu une lettre quelques jours plus tôt. Une âme est une âme. Sans hésiter Kronheim s'était lancé dans cet ankylosant voyage.

Et maintenant il était assis là, dans ce même local sans fenêtre du rez-de-chaussée où, quelques jours plus tôt, Mme Anne-Marie Arvidsson avait elle aussi été enfermée. Il portait un costume gris, élimé, et concentrait son attention sur une mouche qui dansait sur le bureau, entre le taille-crayon et les crayons pointus.

On frappa. Judit passa la tête dans l'entrebâillement de la porte.

— Je peux entrer ?

Le rabbin sourit.

— Vous êtes telle que je vous avais imaginée. Voyez-vous, ma chère...

— Judit Gold.

— Voyez-vous, ma chère Judit Gold, à partir de votre écriture je me suis fait une image de vous. Je peux me féliciter : en plein dans le mille. Soit dit en passant, le monde repose sur de telles intuitions. Napoléon, avant la bataille de Waterloo... Oh, comme vous êtes pâle ! Un verre d'eau ?

La carafe se trouvait sur la table. Le rabbin en versa dans un verre. Judit but avidement puis s'assit. Elle murmura :

— J'ai honte.

— Moi aussi. Nous tous. Et il y a de quoi. Vous par exemple, Judit, de quoi... ?

— De... de vous avoir écrit cette lettre. Et aussi de... de devoir dénoncer.

— Eh bien ne dénoncez pas ! Oubliez tout ça !

— C'est impossible.

— Allons donc ! Haussez les épaules, et ce que vous vouliez me dire, jetez-le au panier ! Ne vous cassez pas la tête une seule minute pour ça. Oubliez. Parlons d'autre chose. Par exemple des mouches. Que pensez-vous des mouches, Judit Gold ?

Emil Kronheim montrait une mouche qui bourdonnait au-dessus de la table.

— Elles me répugnent.

— Il faut faire attention avec la répugnance. Elle vire facilement à la haine. Puis vient l'agression. Plus tard l'idéologie. Et à la fin vous passez votre vie à traquer les mouches.

Judit ne pouvait plus lâcher des yeux la mouche qui s'était posée au bord de son verre. Elle avala sa salive.

— J'ai une amie.

Elle attendit. Elle espérait une question ou un geste, mais le rabbin Kronheim ne semblait intéressé que par la mouche, la folle mouche turbulente qui continuait à danser sur la table. D'une manière ou d'une autre il fallait commencer.

— Il s'agirait de mon amie, Lili. Dix-huit ans. Sans expérience. Naïve.

Le rabbin ferma les yeux. Faisait-il seulement attention ?

— Elle a été complètement embobelinée par un homme de Gotland. En fait, les garçons ont été transférés à Avesta. Je ne peux pas voir ça ! Je ne peux pas la voir s'emballer ainsi pour lui ! Regarder ça froidement, de l'extérieur, c'est impossible !

Le rabbin, qui jusque-là avait babillé et papillonné, gardait les yeux clos. S'était-il endormi ?

Judit se mit à pleurer.

— C'est ma meilleure amie. Je l'aime, cette petite. Quand elle est arrivée, elle n'avait plus que la peau sur les os. Elle était si détruite, si orpheline ! Ensuite elle a commencé à correspondre avec ce vaurien. C'est un voyou ! Il lui promet monts et merveilles. Et maintenant il en est là, il veut venir ici, à l'hôpital, lui rendre visite ! Mais je parle à tort et à travers ! Pardonnez-moi ! Pourtant je sais une chose : Lili est une petite fille !

Judit sentit qu'elle avait perdu le fil. Il aurait fallu expliquer de A jusqu'à Z. Dire pourquoi elle s'inquiétait, que ses craintes étaient tout à fait fondées. Mais le rabbin, au lieu de l'aider, la déstabilisait. Il ne lui prêtait pas assez d'attention. Il se tenait là, assis, les yeux clos, le buste droit.

Une minute s'écoula sans qu'un mot fût prononcé.

Le rabbin Kronheim plongea soudain la main dans le fouillis de ses cheveux. Il était clair qu'il ne s'était pas endormi.

Judit hoquetait, reniflait.

— J'ai vécu tant d'horreurs. Lâché prise tant de fois !
Mais je suis en vie. J'existe. Et Lili n'est qu'une petite
fille !

Emil Kronheim fouilla dans sa poche.

— À toutes fins utiles j'ai toujours un mouchoir sur
moi. Je vous en prie.

*

Mon père eut alors une idée pour déjouer le sort. Il ne
se faisait guère d'illusions sur son physique. Certes, il
s'était remplumé, il pesait cinquante kilos, et les vilaines
verrues avaient commencé à disparaître de son visage,
mais il restait plein de complexes.

Tout d'abord sa requête surprit Lindholm, mais celui-
ci, puisque mon père ne lui parlait plus de voyage, et
puisqu'il pouvait lui faire plaisir, se décida rapidement.
Il alla à son armoire et prit dans la partie du bas, la partie non vitrée, un minuscule appareil photographique.
Du tiroir du bureau il sortit une pellicule douze poses. Il
remit les deux à mon père. Celui-ci, debout au milieu de
la pièce, afficha un sourire rayonnant.

*

On avait laissé entre les baraques de vastes espaces
ouverts à tous vents où des pins centenaires se dres-
saient vers le ciel morose. Miklós, Harry et Tibor Hirsch
s'y rendirent, et mon père tendit solennellement l'appareil photo à Tibor. Cinquante ans bien sonnés, les
cheveux refusant de repousser, des taches violâtres,

irrégulières, marquant la peau de son crâne, Hirsch était le doyen du baraquement.

— Tu étais photographe, j'ai confiance en toi. – Mon père le regarda au fond des yeux. – Il y va de ma vie.

L'appareil était un Axa. Tibor l'inspecta longuement, hochant la tête.

— Je connais ce modèle. Ce sera parfait, je te le promets.

Mon père l'interrompit.

— Non, pas parfait.

— Qu'est-ce qui te prend ?

— Que ce soit flou, c'est ça que je voudrais.

Hirsch le fixa sans comprendre. Mon père ajouta :

— C'est pourquoi je t'ai demandé à toi. Parce que tu t'y connais...

Hirsch rêva un instant à un passé qui n'était pas si lointain.

— Un peu. Je suis électricien, monteur radio et aide-photographe. J'étais. Que veux-tu ?

Mon père montra Harry.

— Que nous soyons tous les deux sur la photo. Harry et moi. Que Harry soit net et que moi je sois flou. Un peu à l'arrière-plan. Tu saurais faire ?

Hirsch s'indigna.

— C'est stupide ! Pourquoi veux-tu être flou ?

— Ce n'est pas ton affaire. Tu sais ou tu ne sais pas ?

L'électricien monteur radio et aide-photographe Tibor Hirsch hésitait, mais mon père était un bon copain et il le regardait d'un air si suppliant qu'il en oublia tout amour-propre professionnel.

En cinq minutes, il trouva moyen de faire une photo sur laquelle mon père fût à peine reconnaissable. Il commença par placer Harry au premier plan. Un peu de trois quarts, sous l'angle le plus favorable. Un soleil languissant faisant de temps à autre de brèves apparitions, Hirsch se plaça à contre-jour pour donner à l'image une touche artistique. Mon père, derrière Harry, devait à chaque prise de vue courir sur un ou deux mètres de gauche à droite et de droite à gauche. Tibor Hirsch prit plusieurs clichés.

Lili, ma chérie, quelle petite sorcière tu es! Au téléphone tu m'as complètement ensorcelé! À présent je suis encore plus curieux de savoir si tu es telle que je t'imagine d'après tes lettres. Ce sera affreux si tu ne l'es pas, et pire encore si tu l'es! J'ai retrouvé une photo de moi. Il est vrai que j'y ai l'air d'avoir été un peu chiffonné par un cyclope, et de devoir aller d'urgence au petit coin. Mais je te l'envoie quand même...

À l'hôpital militaire d'Eksjö, dans le coude du couloir du troisième étage, juste en face de la fenêtre, on avait installé un palmier artificiel que son concepteur avait doté d'une aussi riche frondaison que s'il provenait de l'hémisphère Sud. Les trois jeunes filles s'étaient cachées là, à l'abri de cet épais feuillage.

Lili examina la photo à l'aide d'une loupe, puis elle passa la loupe à Sára et à Judit. Leurs yeux n'étaient pas en cause : il fallait bien admettre que la silhouette fuyante, estompée, presque inidentifiable, qui se profilait derrière Harry n'était autre que mon père.

Soudain le docteur Svensson fut derrière elles.

— Oh, oh, voilà donc pourquoi ces demoiselles avaient besoin de ma loupe.

Toutes trois sursautèrent. Le médecin pointa le doigt vers la photo.

— Des garçons? Hongrois?

Lili, embarrassée, lui tendit la photographie.

— Mon cousin.

Svensson regarda longuement la photo.

— Une bonne tête. Enfin un regard clair.

Lili hésita. Puis elle indiqua, derrière Harry, la silhouette floue.

— Non, non, pas celui-ci. Celui-là, l'autre, derrière!

Le docteur Svensson rapprocha le cliché de ses yeux, essayant lui aussi, vainement bien entendu, de distinguer quelque chose du jeune homme qui courait à l'arrière-plan.

— Celui-là, j'ai cru qu'il se trouvait là par hasard. C'est mystérieux.

Le calcul de mon père s'avéra judicieux. L'énigmatique figure de l'arrière-plan était porteuse d'une promesse d'avenir. Svensson, déçu, rendit la photo. Les jeunes filles, riant sous cape, lui rendirent la loupe.

*

Je vais être très sans-gêne, tant envers toi qu'envers ton amie Sára, à laquelle j'adresse mes amicales salutations. Il s'agit de ceci : mon ami Harry et moi avons mis la main sur un paquet de coton gris, d'une couleur horrible, mais que des mains de fée pourraient transformer en un pull-over acceptable. Je voudrais vous demander de le faire, le plus vite possible bien entendu.

Le lendemain, à l'aube, Lili s'assit dans son lit, sortit un mouchoir de dessous son oreiller, le plia soigneusement et le glissa dans l'enveloppe ouverte qui se trouvait sur sa table de nuit.

... accepte cette babiole, avec toute mon affection. Il n'est malheureusement pas aussi réussi que je l'aurais voulu, et comme je n'ai pas de fer à repasser j'ai dû le mettre sous mon oreiller pour le lisser... Ici il fait de plus en plus froid, et comme on ne nous a pas donné de manteau d'hiver, j'enfile deux cardigans l'un sur l'autre pour aller me promener dans le parc.

Au même moment, Judit sortit la tête de dessous sa courtepointe. Elle vit sur le visage de Lili un bonheur tranquille et n'en fut pas heureuse pour autant.

*

On distribuait le courrier l'après-midi, aussitôt après la sieste. En général, c'était Harry qui allait chercher les lettres à la conciergerie, lui aussi qui lisait à haute voix les noms des destinataires – Misi, Adolf, Litzman, Grieger, Jakobovits, Józsi, Jenő, Spitz, Miklós...

Souvent, trop souvent, mon père recevait des lettres, mais désormais seuls les messages d'une certaine personne lui donnaient la fièvre. Quand l'expéditrice était Lili, il n'avait pas la patience d'attendre d'avoir regagné son lit. Il décachetait avidement l'enveloppe. Cette fois, un mouchoir en tomba. Mon père le ramassa, le flaira, le huma.

> *... que tu n'aies pas de fer et que tu l'aies repassé sous ta tête ne lui donne que plus de valeur à mes yeux... Dis-moi, comment se fait-il que tes lettres me procurent de plus en plus de joie?*
>
> *Ne m'en veuille pas pour le crayon, mais j'ai tenu à te répondre tout de suite et on nous a pris l'encre...,*
>
> *Je t'envoie une longue et chaleureuse poignée de main. Miklós.*

*

L'hôpital d'Eksjö comportait au rez-de-chaussée une salle de la culture. C'était un local aux murs jaunes, doté d'une estrade, la scène, que l'on pouvait cacher en descendant un rideau en peluche rouge.

Quand Sára avança l'idée de donner une soirée, elles espérèrent qu'au moins le secteur femmes du troisième étage viendrait les écouter. Or si les deux cents chaises furent bien occupées, ce fut par les soldats suédois, auxquels ne se mêlaient, çà et là, comme raisins de Corinthe dans la pâte, que quelques *fröken* à chignons, blouses craquantes et amidonnées, coiffe sur la tête.

Les artistes avaient inscrit quatre numéros à leur programme. Sára chantait. Lili l'accompagnait à l'harmonium. Après trois chansons hongroises, Sára entonnerait l'hymne suédois.

Elles en étaient à peine à la moitié quand les soldats, repoussant leurs chaises, se levèrent et d'un même élan, mal rasés, en pyjama et chantant faux, se joignirent au concert.

Ces Suédois commencent à me porter sur les nerfs. Ils voudraient que nous chantions en permanence les louanges de leur bonté... J'ai un indicible mal du pays!!!

6.

Klára Köves débarqua à Avesta par le train de l'après-midi. Elle venait d'un camp proche d'Uppsala et avait eu tout juste assez d'argent pour payer son voyage aller. Ce détail ne l'inquiétait pas le moins du monde. Pour tout le reste, elle comptait s'en remettre à mon père.

De la gare, elle se fit voiturer par le fourgon postal, parcourant ainsi dans un confort luxueux les derniers kilomètres. Il n'était pas trois heures quand elle en descendit à l'entrée du camp.

Ses compagnes d'infortune l'avaient surnommée Mère Ourse, et ce non sans raison. Elle marchait pesamment, en se dandinant, et sa poignée de main était virile. Un poil soyeux recouvrait une bonne partie de son énorme corps, donnant l'impression, sous un certain éclairage, qu'elle portait une fourrure. Elle avait les lèvres gonflées, sensuelles, un nez en bec d'épervier, et sa grosse tête était encadrée d'une riche tignasse brune, frisée, indomptable. Un phénomène, indubitablement.

Elle entra en trombe dans la baraque, et tous se figèrent quand elle claironna :

— Mon petit Miklós, me voilà ! Je viens à toi !

Mon père crut tout d'abord qu'il s'agissait d'un éphémère malentendu. Il était proprement incapable d'assimiler ce gros morceau de fille à la femme enjouée et distinguée avec laquelle, aussi régulièrement que possible, il échangeait des lettres depuis déjà plus d'un mois.

Au milieu de l'été, au seuil de ses larges échanges épistolaires avec les jeunes Hongroises, il avait reçu dix-huit réponses aux cent dix-sept bouteilles qu'il avait jetées à la mer. Finalement, il s'était embarqué dans une correspondance avec neuf filles, sans compter Lili. Klára Köves était l'une d'elles. Il avait été incapable de s'arrêter. Écrire lui procurait une jouissance physiologique, lui permettait d'aller au fond des choses ; en outre il éprouvait un intérêt sincère pour les destinées féminines. Cependant les lettres qu'il écrivait à ces neur correspondantes ne ressemblaient en rien aux déclarations qu'il adressait à Lili.

Avec Klára, par exemple, il n'échangeait guère que des considérations sur l'état du monde. Leurs points de vue communs les faisaient vibrer à l'unisson. Avant la guerre, Klára avait distribué des tracts socialistes, ce qui avait conduit à son arrestation.

L'ouragan se précipita sur mon père et sans autres préliminaires l'embrassa sur la bouche.

— J'attendais ça depuis des semaines !

Les autres la regardaient, stupéfaits. Quatre-vingt-dix kilos de chair féminine envoûtante s'épanouissaient au milieu d'eux, se moquant comme d'une guigne des prescriptions, autorisations et autres recommandations médicales. Leurs rêves s'incarnaient en trois dimensions.

Mon père, perdu, tremblait dans l'étau des bras de Klára.

— Tu attendais quoi?

— D'unir nos deux vies. Rien de moins!

Elle lâcha enfin mon père, sortit les lettres de sa poche et les lança en l'air. Elle se tourna vers les autres, qui s'étaient levés de leurs lits et faisaient maintenant cercle autour d'eux. Son entrée théâtrale avait sans aucun doute fait sensation.

— Savez-vous, les poussins, qui vit parmi vous? Un nouveau Karl Marx! Un nouvel Engels!

Les lettres retombèrent, comme les confettis d'un jour de fête. Les poussins étaient sous le charme. Mon père crut qu'il allait tomber raide mort.

Klára le prit par le bras. Dans son désarroi il fit signe à Harry de les suivre. Tous trois se retrouvèrent cheminant sur un sentier de la forêt voisine. Klára s'était emparée de mon père, le confisquant, se l'appropriant, se l'incorporant presque. Comme une poupée qu'elle eût serrée contre elle. Harry marchait derrière eux, attendant son tour. Une fine pluie s'était mise à crachiner.

— Vois-tu, Klára..., dit mon père, s'efforçant de parler d'une voix calme, pédagogique, je suis en correspondance avec beaucoup de filles. Une flopée.

Klára se mit à rire.

— Tu veux me rendre jalouse, mon poussin?

— Mais non, voyons ! Je voudrais te mettre au courant. Écrire des lettres, c'est pour ainsi dire notre seul passe-temps. Pas seulement pour moi, pour toute la baraque. Cela a pu t'induire en erreur.

— Nix erreur. J'ai le béguin pour toi, poussin. Tu es intelligent. Un vrai soleil. Je lève les yeux vers toi ! Tu seras mon professeur, mon amant ! Tu as des complexes, mais je te sauverai !

— Bref, j'écris beaucoup, beaucoup de lettres. Il faut que tu le saches.

— Tous les génies sont complexés ! Je le sais, j'en ai déjà eu deux, avant la guerre ! Ça ne t'ennuie pas, poussin, que je te mette au courant ? Je ne suis plus vierge. Oh là non ! Tout sauf pucelle ! Mais à toi je pourrai être fidèle, je le sens ! Ces lignes que tu écris, ces idées qui sortent de ta tête ! Je peux te les réciter ! Tu m'interroges ?

Klára, débordante d'enthousiasme, prit mon père par la taille et couvrit de petits baisers son visage, ses lunettes, dont les verres s'embrumèrent. Or ainsi, de près, à travers ces verres souillés, mon père aperçut, tout au fond du regard de Klára, une détresse infinie. La peur panique d'être repoussée. Cette surprenante découverte le tranquillisa.

— Klára, laisse-moi parler, je t'en prie.

— Je voulais seulement te dire encore que je te soignerai s'il le faut. Moi je suis complètement guérie ! Je peux quitter le camp. Je travaillerai ! Je viendrai m'installer auprès de toi ! Tu as ma parole.

Mon père s'arracha à l'étreinte de Klára et lui fit face.

— Bon. Alors, les faits. J'écris beaucoup de lettres, mais d'abord parce que j'ai une belle écriture. D'autres s'en sont aperçus. Les gars de la baraque, si je peux dire ça comme ça, y ont recours. Tes lettres, malheureusement, ne sont pas de moi. Elles sont de Harry. Il me les a dictées, parce que mon écriture est ce qu'elle est. La sienne est moche, illisible. Voilà, c'est ça la triste réalité. Par mon truchement, je le regrette, c'est du cerveau de Harry que tu es tombée amoureuse.

Klára, stupéfaite, détourna le regard. Sur Harry. Et dans la bruine alla vers lui.

— Ainsi donc, mon poussin, c'est toi qui serais mon génie ?

Harry opina. Il pointa le doigt vers mon père

— Lui ne faisait qu'écrire. Les pensées...

Il montra modestement son propre front.

Le regard de Klára alla de l'un à l'autre. Mon père était tout petit ; il portait des lunettes et un dentier métallique. Harry était svelte, une petite moustache de hussard ornait le dessous de son nez, et Klára lisait dans ses yeux un véritable appétit. Elle décida qu'il valait mieux croire mon père et prit le bras de Harry.

— Je vais vérifier, mon poussin. Moi, l'emballage ne m'intéresse pas. Le dessin des lèvres, la couleur des yeux, la jolie gueugueule, je n'en ai rien à faire. Moi, c'est seulement l'esprit qui m'allume, tu comprends ? Je ne m'en lasse pas.

Harry l'arrêta, la fit pivoter vers lui, plaqua une main sur son puissant derrière, de l'autre lui prit le menton.

— Tu ne seras pas déçue, déclara-t-il, et il l'embrassa sur la bouche, avec passion.

Mon père sentit qu'il n'avait plus qu'à s'éclipser, que sa disparition passerait sans doute inaperçue. Et en effet quand, parvenu au bout du sentier, il se retourna, il vit le couple, enlacé, se diriger vers l'obscur de la forêt, derrière le rideau de pluie qui allait s'épaississant.

*

Après l'affaire Klára, mon père s'infligea trois jours de pénitence pendant lesquels il n'écrivit pas une seule ligne à Lili. Le quatrième jour, il était assis dans une baignoire pleine d'eau très chaude, dans l'unique salle de bains individuelle du camp. On pouvait demander à la conciergerie la clef de ce local rappelant le confort bourgeois, et mon père profitait souvent de cette possibilité. La salle de bains se trouvant dans un bâtiment éloigné du baraquement, mon père n'en fermait jamais la porte à clef, et il ne l'avait pas fait cette fois-là non plus. Il avait allumé une cigarette et chantait à pleine voix une marche du mouvement ouvrier, bien que la qualité de son oreille n'eût jamais été notoire.

Soudain, la porte s'ouvrit. Le un mètre quarante de Márta, le petit bout d'infirmière en chef, se tenait dans l'encadrement. De ses petits bras elle chassa l'épaisse fumée de cigarette. Mon père, de la main gauche, tentait de masquer ses attributs.

Márta fulminait.

— Que faites-vous là, Miklós ? Vous vous cachez pour fumer ?! Vous n'avez pas honte ?! Quel âge avez-vous, Miklós, pour vous conduire ainsi comme un gamin ?

Mon père, laissant sa cigarette tomber dans son bain, se mit à son tour, de la main droite, à chasser la fumée, sans autre résultat que de la faire tournoyer au-dessus de l'eau. Gêné de sa nudité, il couvrit son sexe de ses deux mains.

Márta, sous sa haute coiffe empesée, s'avança au plus près de la baignoire, et c'est en plein visage qu'elle lui cria :

— Miklós, la cigarette, pour vous, c'est la mort! Une cigarette, un jour en moins! Ça vaut la peine? Répondez-moi, espèce de fou! Ça vaut la peine?

Lili, mon amie, ma chère petite, j'ai un aveu à te faire. Non, pas celui que j'ai peur de t'écrire, non, mais je dois t'avouer que je n'ai pas plus d'oreille qu'un bout de bois et que je chante d'une voix à faire peur.

Mais comme tout antimilitariste, je braille des marches, moi aussi, quand je suis dans mon bain.

Nous sommes soumis, ici, à une telle surveillance que c'en est affreux! Il faut respecter strictement l'ordre du jour : stille Bettruhe et autres joyeusetés. C'est surtout Márta, cette petite souris d'infirmière à la Mickey, l'épouse hongroise du docteur Lindholm, qui se fait du souci pour nous.

Furieuse, Márta, la petite souris d'infirmière, traversa le parc d'un pas vif. Il fallait bien cinq minutes pour aller jusqu'à la conciergerie et sa colère croissait à chaque pas. Elle défonça presque la porte.

Harry, quatre jours auparavant – et l'impatiente patience de Klára Köves n'y était pas pour rien –, avait recouvré la virilité qu'il avait crue perdue. Bien que Klára fût repartie déçue, ils étaient convenus de continuer à s'écrire. Harry avait retrouvé l'appétit.

Sur ces entrefaites, il s'était entiché de la concierge de jour du camp, Frida, un gros morceau que tous, entre eux, surnommaient Elephant Baby. Harry se perdait dans ses pensées au sujet de la capricieuse fantaisie de ses désirs. Apparemment, l'époque où seules les pâlottes à taille de guêpe avaient pour lui de l'attrait était inexplicablement révolue.

Quand Márta, pareille à l'ange exterminateur, apparut dans l'encadrement de la porte, Frida et Harry, ce dernier en pyjama, en étaient aux préliminaires. Ils n'eurent pas le temps de s'écarter d'un bond l'un de l'autre. Harry eut cette chance relative que l'échange de paroles se fît en suédois, langue dont il ne comprenait que des bribes.

— Frida, c'est toi qui as donné des cigarettes à Miklós ?

Frida, qui de ses bras puissants écrasait Harry contre son sein, ne relâcha en rien son étreinte.

— Deux seulement. Ou trois.

Márta hurla :

— Je ne te le dirai pas deux fois ! Si je t'y reprends, je fais un rapport.

Tournant les talons, elle claqua la porte derrière elle.

Frida, bien entendu, ne détaillait pas les cigarettes seulement par bonté d'âme. En les revendant un brin plus cher, elle arrondissait son salaire, qui n'était pas des plus généreux.

Je te l'avoue sincèrement : j'aime qu'un homme fume la cigarette, cela me plaît, mais pour toi ce doit être à présent l'exception. Je t'en prie, n'exagère pas ! D'ailleurs moi je ne fume pas...

*

Lili entra dans la chambre comme une somnambule et sans un mot s'assit sur son lit. Il émanait d'elle tant de désespoir que Judit, qui était couchée dans le sien, laissa tomber sur son ventre le livre qu'elle était capable de relire pour la troisième fois, maintenant en anglais : *Tess d'Urberville*, de Thomas Hardy.

Sára, qui se versait une tasse de thé, se retourna, se précipita vers Lili, s'agenouilla au pied de son lit.

— Il est arrivé quelque chose ?

Lili, les épaules basses, ne répondit pas.

Sára lui mit la main sur le front.

— Tu as de la fièvre. Où est le thermomètre ?

Judit se précipita. Le thermomètre était dans une petite assiette sous la fenêtre. Lili se laissa faire. Ses deux compagnes la soulevèrent, serrèrent son bras contre son flanc, s'installèrent en face d'elle sur le lit, et attendirent, épouvantées.

Le vent secouait les volets. D'une voix blanche, ténue comme celle d'un violon sur le fond de leurs grincements, Lili murmura :

— Quelqu'un m'a dénoncée.

Judit se souleva légèrement.

— Comment ça ?

— Je viens de voir la femme de la LOTTA. Elle m'a dit que j'avais menti...

Un silence. Sára se rappela le nom de la femme.

— Anne-Marie Arvidsson?

Lili poursuivit d'une voix sourde.

— ... que Miklós n'était pas mon cousin, mais un correspondant inconnu...

Judit se leva d'un bond. Elle allait et venait.

— Comment le sait-elle?

— ... et que c'est pour ça qu'elle ne donne pas son autorisation. Il ne pourra pas venir! Il ne pourra pas venir!

Sára, agenouillée devant Lili, lui couvrait les mains de petits baisers.

— Nous trouverons quelque chose, Lili. Réagis. Courage. Tu as de la fièvre.

Lili fixait ses pantoufles.

— Elle m'a montré une lettre. Elle venait d'ici, de chez nous.

Judit éclata :

— Qui a fait ça?

— Elle ne me l'a pas dit. Seulement le contenu. Qu'on lui avait écrit que j'avais menti. Que Miklós n'était pas mon cousin, comme je l'affirmais, et que c'était pour ça qu'elle ne signait pas l'autorisation.

Sára soupira.

— Nous referons une pétition. Nous en referons jusqu'à ce que nous puissions recevoir des visites, jusqu'à ce qu'ils en aient assez.

Judit, à son tour, se laissa tomber aux pieds de Lili.

— Ma chérie, ma petite Lili!

Lili leva enfin les yeux. Elle regarda ses amies.

— Qui donc me déteste à ce point ?

Sára se redressa. Elle retira le thermomètre de l'aisselle de Lili.

— 39,2. Il n'y a pas de temps à perdre. Vite, couche-toi. Il faut appeler Svensson.

Les deux amies aidèrent Lili à s'allonger, tirèrent sur elle la courtepointe. Elle était incapable de bouger, il fallait la manier comme un bébé.

Pour détourner son attention, Judit remarqua :

— Tu lui plais.

Sára ne comprit pas aussitôt.

— À qui plaît-elle, notre Lili ?

— À Svensson. Quand il la regarde, on croirait qu'il va la manger.

Sára eut un geste de dénégation.

— Penses-tu !

Mais Judit d'enfoncer le clou :

— Pour ces choses-là, je ne me trompe jamais.

*

Mon père, debout entre les épaisses poutrelles de la passerelle du chemin de fer, regardait, au-dessous de lui, la demi-douzaine de voies dont certaines, courant jusqu'à l'horizon, se perdaient à l'infini. Le ciel, couvert, était d'un gris d'acier.

Au loin, sur la route, Harry apparut. Il courait. Il grimpa deux à deux la volée de marches de la passerelle, mais mon père ne le remarqua que quand il s'arrêta, haletant, à côté de lui.

— Tu t'apprêtes à sauter?

Mon père lui répondit par un bon sourire.

— Où vas-tu chercher ça?

— D'après ton regard. Et la façon dont tu as disparu après la distribution du courrier.

Un train de marchandises fila au-dessous d'eux. La fumée, épaisse et noire, les enveloppa comme un voile de chagrin. La main de mon père se crispa sur la rambarde.

— Non. Je ne saute pas.

Harry s'accouda à côté de lui. Ils suivirent des yeux le train de marchandises qui s'éloignait. Quand le convoi ne fut plus qu'un mince ruban dans le lointain, mon père sortit une lettre froissée de la poche de son pantalon. Il la tendit à Harry.

— Voilà ce que j'ai reçu.

Cher Monsieur,

En réponse à l'avis de recherche paru dans le numéro d'aujourd'hui du Szabad Nép, *j'ai le regret de vous faire savoir que vos père et mère ont été victimes d'un bombardement, le 12 février 1945, dans le camp de Laxenbourg en Autriche. J'ai bien connu vos parents, c'est moi qui du camp les ai dirigés vers le meilleur endroit, le Kávégyár, où ils seraient traités humainement et recevraient nourriture correcte et logement. Je suis infiniment désolé de devoir vous apprendre une aussi mauvaise nouvelle. Andor Rózsa.*

Mon père avait entretenu des relations compliquées et ambiguës avec son propre père. Le propriétaire de Gambrinus, le libraire bien connu de Debrecen, était un homme colérique, qui criait beaucoup et avait la main leste. Il n'épargnait pas non plus sa femme et n'avait pas besoin pour cela d'être saoul. Malheureusement, il buvait beaucoup. La mère de mon père ne s'en rendait pas moins souvent à la librairie, apportant à son mari une collation, des pommes ou des poires.

Mon père se souvenait d'un merveilleux après-midi où petit garçon, perché en haut de l'échelle de la librairie, il avait été à ce point captivé par le *Pierre le Grand*, d'Alexeï Tolstoï, que, hors du temps et de l'espace, il avait galopé, les oreilles en feu, à travers les intrigues de la cour du tsar. Le soir, sa mère était venue le chercher, c'était le printemps, sur sa tête une capeline bordeaux brillait d'un vif éclat.

— Miki, il est sept heures, tu as oublié de dîner. Qu'est-ce que tu lis ?

Il avait levé les yeux, cette femme au chapeau rouge, il la connaissait, mais ne savait pas où la situer.

Harry plia la lettre et sans un mot la rendit à mon père. Ils s'appuyèrent à la rambarde. Regardant les rails sans les voir. Quelques oiseaux au vol rapide tournoyaient dans le ciel.

Cher Miklós, je suis infiniment triste que cette lettre de Szolnok t'ait apporté une aussi affreuse nouvelle. Je n'ai pas de mots pour te consoler...

Cet après-midi-là mon père se rendit à bicyclette au cimetière d'Avesta. Une pluie fine tombait. Sans but défini, infatigablement, il erra parmi les tombes, se penchant parfois, çà et là, sur une inscription funéraire, s'efforçant chaque fois de prononcer à voix basse un nom suédois qui lui paraissait compliqué.

Ne m'en veuille pas d'être aussi froid, d'accueillir ce coup du sort avec un cynisme aussi pendable. Hier je suis allé au cimetière d'ici. J'espérais que peut-être, au fond d'une fosse commune, un souvenir d'au-delà de l'humain SECOUERAIT LES MIENS... C'est fini.

Lili s'assit brusquement dans son lit ; il était tard dans la nuit, ne subsistait de lumière que la pâle lueur de l'ampoule au-dessus de la porte. Son front était en sueur. Dans le lit voisin, Sára dormait en chien de fusil, découverte. Lili se leva, s'approcha d'elle, s'agenouilla.

— Tu dors ?

Sára, comme si elle l'avait attendue, se retourna et murmura :

— Je n'y arrive pas moi non plus.

Lili l'avait déjà rejointe dans le lit. Elle lui prit la main. Elles demeurèrent ainsi, couchées sur le dos, fixant le plafond sur lequel le bouleau, balancé par le vent devant la fenêtre, projetait d'étranges figures. Un long moment passa. Puis Lili chuchota :

— Il a reçu des nouvelles. Au sujet de ses parents. Une bombe.

Décachetée, la lettre de mon père était restée sur la table de nuit. Quand Sára l'eut en main, seuls ses yeux clignèrent.

— Mon Dieu !

— J'ai compté. Trois cent soixante-treize jours. Depuis, je n'ai aucune nouvelle ni de maman ni de papa.

Les yeux grands ouverts, elles regardaient, au plafond, les figures expressionnistes dessinées par le vent.

7.

La camionnette du courrier arrivait à trois heures au camp d'Avesta. Un homme en blouson à col de fourrure en descendait vivement, passait à l'arrière, ouvrait toutes grandes les portes et sortait d'un sac gris les lettres à déposer. En général, il lanternait quelques minutes près de la porte arrière.

Il allait ensuite à la boîte aux lettres, peinte en jaune et dont la forme n'était pas sans rappeler celle d'une assez grande valise. Avant d'y déverser les lettres, il l'ouvrait avec une clef, et les lettres en partance s'en échappaient dans le sac de toile vide.

Suivre de bout en bout, le cœur battant, ce rituel monotone faisait partie du programme quotidien de mon père. Il lui fallait simplement s'assurer que sa lettre à lui, à la suite de je ne sais quelle intrigue ou machination, n'échappait pas au sac de toile.

Lili, ma chérie, c'est tout à fait sûr, si ce n'est pas aujourd'hui c'est demain que la bonne nouvelle arrivera ! La lettre, déjà écrite, est dans la poche de ton papa, et il cherche une occasion de tenter ce presque impossible : l'envoyer en Suède.

*

À l'hôpital militaire d'Eksjö, il y avait au deuxième étage un endroit où l'on pouvait fumer une cigarette sans risquer de se faire pincer : la salle des douches. Fréquentée le matin, elle restait le plus souvent vide jusqu'au soir.

Judit fumait au moins un demi-paquet par jour, tout son argent de poche y passait. Sára aussi en grillait deux par jour. Lili se contentait de leur tenir compagnie.

Sára inhala profondément la fumée, et se laissa aller à rêver.

— J'ai bien fait d'aller pleurnicher : nous avons l'autorisation de sortir cet après-midi. Nous pourrions aller en ville.

Judit, assise sur le rebord de la douche, ramena ses pieds sous elle.

— Pour quoi faire ?

— Nous pourrions enfin faire tirer une photo de Lili, pour Miklós.

L'effroi de Lili fut sincère.

— Surtout pas ! Il me verra et il filera comme un lièvre.

Judit fit un beau rond de fumée, bien régulier.

— Bonne idée. Une photo de nous trois, pour nous rappeler tout ça. Plus tard.

Sára demanda :

— Quand ?

— Un jour. Quand nous serons ailleurs. Quand nous serons heureuses.

Elles rêvèrent un instant. Puis Lili déclara :

— Je suis laide. Il ne faut pas faire de photo.

Sára lui tapa sur la main.

— Tu es bête, ma petite, tu n'es pas laide.

Judit, tout en suivant des yeux ses ronds de fumée jusqu'à l'entrebâillement de la fenêtre d'aération, eut un sourire qui en disait long.

*

Au bureau de poste, mon père passa la tête dans le guichet. Il dit, en allemand pour exclure tout risque de méprise :

— Je voudrais envoyer un télégramme.

La demoiselle, qui portait elle aussi des lunettes, le regarda d'un air encourageant.

— Adresse ?

— Eksjö, Utlänningsläger, Korungsgården 7.

D'une écriture rapide, elle commença à remplir le formulaire.

— Le texte ?

— Deux mots. Deux mots hongrois. J'épelle.

La demoiselle fut froissée.

— Inutile. Dites-moi, tranquillement.

Mon père inspira profondément. Et, détachant chaque syllabe, il prononça, dans un hongrois sonore, bien compréhensible :

— *Sze-ret-lek, Lili.* (Je t'aime, Lili.)

La jeune fille secoua la tête. Quelle fichue langue !

— Épelez.

Mon père refit un essai, lettre par lettre.

Patiemment, ils avancèrent, dépassant avec succès les premiers phonèmes, mais ensuite ils restèrent en panne. Mon père passa alors le bras de l'autre côté de la vitre, prit la main qui tenait le crayon et tenta de la guider.

Ce n'était pas chose facile. Arrivée au L majuscule, la jeune femme lâcha le crayon et tendit le formulaire à mon père.

— Écrivez vous-même.

Mon père biffa le griffonnage et de sa belle écriture moulée, régulière, grava dans le marbre le message : *Szeretlek, Lili! Miklós.*

Il rendit la feuille.

La petite postière regarda sans comprendre le texte inconnu.

— Qu'est-ce que ça veut dire?

Mon père hésita.

— Vous êtes mariée, mademoiselle?

— Fiancée.

— Oh, félicitations! Ce télégramme veut dire... veut dire...

Mon père savait parfaitement comment traduire en allemand la phrase la plus simple et la plus belle du monde. Mais il n'eut pas envie de se trahir. La jeune fille comptait les mots.

— Ça fera deux couronnes. Eh bien, vous me dites?

Mon père fut soudain pris d'effroi. Il blêmit, et aboya à l'adresse de la petite postière :

— Rendez-le-moi! S'il vous plaît! Rendez-le-moi!

La demoiselle haussa les épaules et replaça le formulaire sur le comptoir. Mon père prit le papier et le déchira. Il se sentait infiniment stupide et lâche et, en lieu et place de toute explication, il eut un sourire embarrassé, fit un signe de la tête, puis sortit en trombe du bureau de poste.

*

Ce jour-là, tard dans la soirée, les hommes, enveloppés dans de grosses couvertures, sortirent s'asseoir à l'endroit habituel, autour de la table de bois, sous l'unique ampoule électrique, là où l'herbe, depuis des années, entamait la chape de béton. Le silence était celui de la rêverie, de la somnolence. Ils se blottissaient, les yeux clos, ou simplement fixaient d'un œil morne le rouge du mur de briques qu'on n'avait pas crépi.

Mon père, debout contre le mur, avait lui aussi fermé les yeux.

Je ne t'envoie pas de nouveaux poèmes, seulement un sonnet. J'ai un projet plus vaste, un canevas de roman qui me tourne dans la tête. Son sujet : le voyage en wagon, jusqu'à un lager *allemand, de douze personnes – des hommes, des femmes, des enfants – des Allemands, des Français – des Juifs hongrois – des intellectuels et des paysans. De la sécurité à la mort. Ce seraient mes douze premiers chapitres.*

Les douze suivants décriraient le moment de la libération. Ce n'est pas encore mûr, mais j'ai grande envie de le faire.

Pál Jakobovits ne pouvait pas avoir plus de trente ans, mais ses mains tremblaient continuellement et les médecins ne le berçaient pas d'illusions en lui disant que cela allait s'arranger. Il se balançait d'avant en arrière sur son siège et fredonnait une prière :

— Petit bon Dieu, écoute ma prière, envoie-moi une femme, une belle, une brune, et si tu n'en trouves pas de brune, une blonde fera l'affaire, oui, une belle blonde...

Tibor Hirsch, l'électricien monteur radio et aide-photographe, assis à l'autre bout de la table, l'avait jusque-là supporté. Cette fois, il éclata :

— Tu nous fais rire avec ta prière !

— Je prie pour obtenir ce que je veux !

— Tu n'es plus un gamin, Jakobovits, tu as dépassé la trentaine.

Jakobovits regarda ses mains, saisit la gauche avec la droite pour tenter d'atténuer son tremblement.

— De quoi tu te mêles ?

— Un homme de trente ans ne soupire pas après les bonnes femmes.

Jakobovits éleva la voix :

— Il fait quoi alors ? Il se branle ?

— Ne sois pas grossier.

Jakobovits s'enfonça les ongles dans le bras pour tenter de maîtriser le maudit tremblement. Il hurla :

— Que fait-il, Hirsch, l'homme de trente ans ? Réponds-moi, je te prie !

— Il refoule ses envies. Il demande du bromure. Il attend son tour.

Jakobovits abattit son poing sur la table.

— Je n'attends plus ! J'ai assez attendu.

Se levant d'un bond, il rentra précipitamment dans la baraque.

Mon père, qui les yeux clos était toujours adossé au mur, eut au coin de la bouche un tressaillement.

Lili, ma chère Lili ! Oui, si j'osais, je jurerais comme un charretier ! C'est comme ça que j'évacue ce dont les petites filles se libèrent en pleurant. Oui, c'est épouvantable, au lager, *nous sommes devenus de vrais porcs... J'aimerais beaucoup te dénicher un livre de Bebel,* La Femme et le Socialisme, *j'espère que ça va marcher...*

Lili, pelotonnée sous la courtepointe, sanglotait. Il était plus de minuit. Ses gémissements réveillèrent Sára, qui sauta à bas de son lit, souleva la courtepointe, caressa les cheveux de Lili.

— Pourquoi tu pleures ?

— Comme ça.

— Tu as rêvé ?

Sára se glissa auprès de Lili. Elles regardèrent le plafond, comme elles avaient peu à peu pris l'habitude de le faire toutes les nuits. L'ombre de Judit se dressa soudain au-dessus d'elles.

— Vous me faites une place ?

Elles se poussèrent. Judit Gold se coula auprès d'elles. Lili demanda :

— C'est qui, ce Bebel ?

Judit fit la moue.

— Un écrivain.

Sára se redressa : elle était sur son terrain. En pareil cas elle prenait ses airs d'institutrice, allant jusqu'à lever l'index pour accompagner son discours.

— Pas n'importe lequel ! Un homme admirable !

Lili essuya ses larmes.

— Il paraît qu'il a écrit un livre : *La Femme et le Socialisme*.

Judit, que le côté bas-bleu de Sára agaçait, abattit son atout.

— Avec un titre pareil, je me précipite pour le lire ! Retenez-moi !

Sára poursuivit d'un ton pincé :

— C'est son livre le plus brillant. J'y ai appris beaucoup de choses.

Sous la courtepointe, Judit pressa le bras de Lili. Mais comme elle ne s'avouait jamais vaincue, elle ouvrit un nouveau front :

— C'est ton poète qui te bourre le crâne de plus en plus, pas vrai ?

— Il va m'envoyer le livre. Dès qu'il pourra.

— Apprends-en des passages par cœur, tu lui en imposeras.

Sára, toujours assise, leva un doigt vers le ciel.

— Au cœur de *La Femme et le Socialisme*, il y a cette idée que dans la société authentique la femme sera la compagne de l'homme, à égalité avec lui. En amour, dans les luttes, en tout.

Judit eut un sourire aigre-doux.

— Bebel est un abruti. Il n'a jamais été marié. Il est clair qu'il a la vérole.

La colère gagnait Sára. Une foule de questions lui tournait dans la tête, mais elle était incapable de choisir la bonne. Elle se laissa retomber dans le lit.

J'attends le livre avec impatience. Sára l'a déjà lu, mais elle le relirait volontiers.

*

Dès leur arrivée à Avesta, les hommes du baraquement avaient eu à disposition un jeu d'échecs et deux jeux de société. La règle de ceux-ci était rédigée en suédois et ils paraissaient très enfantins, aussi n'avaient-ils essayé d'y jouer qu'une seule fois, et en quelques minutes ils s'en étaient lassés. Mais on s'arrachait le jeu d'échecs. C'étaient le plus souvent Litzman et Jakobovits qui jouaient. Litzman passait pour avoir été champion de Szeged. Jakobovits et lui jouaient pour de l'argent, ce qui leur valait certains droits à user en priorité de l'échiquier.

Litzman commentait en permanence la partie. Il prenait le fou, le faisait tourner en l'air tout en scandant :

— Jeumeuleuheufais ! Jeumeuleuheumassacre ! Écheeeec !

Jakobovits réfléchissait de longues minutes. Ce jour-là, comme toujours, on faisait cercle autour d'eux. Dans le silence tendu qui précédait le mat, le mot de Hirsch résonna comme le premier tintement d'une fête carillonnée.

— *Él !*

L'électricien monteur radio et aide-photographe, assis dans son lit, brandissait une lettre.

— Vivante! Ma femme est vivante!

Les autres le regardaient, ébahis. Il se leva, jeta un coup d'œil circulaire, la visage rayonnant.

— Vous comprenez? Vivante!

Il se mit à marcher entre les lits, brandissant bien haut, comme un drapeau, la lettre qu'il venait de recevoir. Il criait :

— *Él! Él! Él!* Vivante! Vivante! Vivante!

Harry fut le premier à se joindre à lui. Il lui emboîta le pas, lui mit les mains sur les épaules, accorda son rythme au sien. Ils firent un tour, puis un autre entre les lits, claironnant :

— Vivante! Vivante! Vivante!

Fried, Grieger, Oblatt, Spitz entrèrent dans la danse. Affamée, balayant tout obstacle, la joie de vivre était irrésistible. Mon père aussi se plaça derrière eux, suivi tour à tour par les seize autres survivants de la baraque.

Hirsch défilait en tête, agitant bien haut la lettre-drapeau. Jakobovits et Litzman fermaient la marche.

Ils firent des tours et des détours, accrochés aux épaules les uns des autres, inventant toujours de nouveaux itinéraires, tel un long serpent qui n'en finissait pas. Puis ils découvrirent qu'ils pouvaient sauter par-dessus les lits, les tables, les chaises, l'essentiel étant de ne pas casser le rythme.

— *Él! Él! Él! Él! Él! Él! Él! Él! Él! Él! Él!* Vivante! Vivante! Vivante!

Aujourd'hui, Tibi Hirsch, l'un de mes amis, a reçu une lettre de Roumanie. Sa femme lui écrit qu'elle est vivante. J'avais parlé avec trois déportées qui affirmaient mordicus qu'à Belsen on l'avait abattue sous leurs yeux...

*

Ce brillant et triomphal intermède incita mon père à lancer un suprême assaut pour décrocher son autorisation de voyager.

Il savait que Lindholm passait les mercredis soir dans le bâtiment principal. Il enfila donc un manteau sur son pyjama, traversa rapidement la cour et frappa à sa porte.

Lindholm lui fit signe de s'asseoir, finit d'écrire sa phrase et leva les yeux, attendant ce que mon père allait lui dire. Seule la lampe du bureau éclairait la pièce, le cercle de lumière s'arrêtant exactement sous les yeux du médecin, ce qui mit mon père quelque peu mal à l'aise.

— Je voudrais parler de l'âme avec vous, docteur.

N'étaient éclairés que le menton et le nez de Lindholm.

— Une drôle de bête.

Mon père laissa tomber son manteau. Assis là dans son pyjama rayé qui s'effilochait, il ressemblait à un saint du Moyen Âge.

— Elle a parfois plus d'importance que le corps.

Lindholm croisa les mains.

— La semaine prochaine, nous aurons ici un psychologue.

— Non, c'est avec vous que je voudrais en parler. Vous connaissez *La Montagne magique*, docteur?

Lindholm se renversa en arrière et son visage se fondit complètement dans la pénombre. Il était devenu un homme sans tête.

— Je l'ai lu.

— J'en suis avec elle comme Hans Castorp. Cette monstrueuse jalousie... que j'éprouve à la vue des bien-portants... me fait presque mal...

— Ça se comprend.

Mon père se pencha pour se rapprocher.

— Donnez-moi l'autorisation. S'il vous plaît.

— Qu'est-ce que ça vient faire ici?

— Si je pouvais aller voir ma... petite cousine, juste deux ou trois jours, si je pouvais faire comme si j'étais guéri...

Lindholm l'interrompit :

— C'est une idée fixe, Miklós, je vous en supplie, laissez tomber!

— Laisser tomber quoi?

Lindholm se leva, sortant définitivement du cercle de lumière.

— Cette marotte du voyage. Cette obstination! Retrouvez votre bon sens!

— Je ne l'ai pas perdu! Je veux voyager!

— Mais ce sera la mort! La mort immédiate!

Le funeste diagnostic de Lindholm plana au-dessus d'eux tel un monstrueux oiseau. Mon père ne voyait plus du docteur que deux jambes de pantalon. Il aurait pu ne pas tenir compte de la sentence.

Il y eut un silence, ponctué seulement par le bruit de leur respiration.

Lindholm, confus, lui tourna le dos. Il alla à son armoire, l'ouvrit, la referma.

Mon père se leva ; il était blême.

Lindholm, passant au suédois, répéta plusieurs fois :

— Pardon, pardon, pardon.

Enfin il ouvrit l'armoire pour de bon, en sortit un carton. Il se plaça devant l'écran luminescent et l'alluma. La lumière, froide, stérile, inonda la pièce. Le médecin afficha les radios sur la plaque de verre. Toutes les six. Sans se retourner. Sans chercher le regard de mon père.

— Au fait, où est-elle soignée votre cousine ?

— À Eksjö.

— Enlevez le haut. Je voudrais vous ausculter.

Mon père se défit de sa veste de pyjama. Lindholm sortit son stéthoscope.

— Respirez. Profondément. Inspirez, soufflez.

Ils se faisaient face, mais ne se regardaient pas. Mon père respirait avec application. Lindholm écoutait. Il l'ausculta longuement. Comme s'il goûtait une musique lointaine, venue de l'espace. Puis tranquillement il annonça :

— Trois jours. Le temps de vous dire au revoir. Mon avis, en tant que médecin... mais peu importe...

Il chassa d'un geste ce qu'il allait dire.

Mon père remit son haut de pyjama.

— Merci, docteur.

À présent, Lili, fais vite et sois habile ! Nous allons feinter la LOTTA ! J'ai besoin d'un papier en suédois

de ton médecin approuvant ma visite d'un point de
vue médical. Le mien, j'ai réussi à le convaincre!

Lindholm jouait avec son stéthoscope d'un air embarrassé. Dans cette lumière intime, mystérieuse, il s'enhardit à sortir son portefeuille de sa poche revolver.

— Oubliez-la. Je suis votre médecin, c'est là ce que je vous conseille. L'âme... Parfois ça ne fait pas de mal de l'enterrer...

Il détacha les radios de l'écran et les rangea dans une chemise. Il éteignit l'écran, puis il tira de son porte-feuille une minuscule photo – quelques centimètres – froissée, défraîchie d'avoir été trop souvent tenue en main, et il la tendit à mon père. Sur la photo, une fillette blonde, devant un mur, tenait un ballon et fixait l'objectif d'un regard suspicieux.

— Qui est-ce, docteur?

— Ma fille. C'était. Elle est morte. Un accident.

Mon père n'osait plus faire un geste. Lindholm se balançait d'un pied sur l'autre, faisant craquer le plancher. Sa voix se fit rauque.

— La vie nous punit quelquefois.

Mon père, du pouce, caressa le visage de la fillette.

— De mon premier mariage. Jutta. Márta vous a raconté la seconde partie de notre histoire. C'est la première.

*

Au même moment, Lili et ses amies avaient organisé une soirée à programme assez longue. Dans la salle de la culture, au rez-de-chaussée, Sára, accompagnée au piano par Lili, chanta huit morceaux : deux chansons hongroises, un lied de Schumann, deux de Schubert. Elles tâtèrent également d'airs d'opérettes à la mode...

Les soldats et les infirmières leur firent fête bruyamment. Sur l'estrade, Lili et Sára, après chaque numéro, remerciaient le public d'une inflexion du buste, coquette et modeste. Lili eut droit à un hommage particulier : le docteur Svensson était venu. Assis au premier rang, il tenait sur ses genoux une fillette qui devait avoir dans les trois ans, et il tapait vigoureusement des pieds sur le plancher. À la fin de la soirée, il vint féliciter Lili, encore fébrile à côté du piano. Elle regardait avec envie la fillette qui n'avait manifesté aucun signe d'impatience, ne s'était pas endormie, et même avait visiblement trouvé dans le programme un certain plaisir élémentaire.

— Je peux la prendre dans mes bras ?

Svensson lui passa la fillette. Lili la serra contre elle, et l'enfant se mit à rire aux éclats.

Au pied de l'estrade, dans la salle, les soldats faisaient cercle autour de Sára, laquelle ne se fit guère prier pour leur chanter encore une chanson – en bis, de chic, a capella. Elle choisit «La grue, là-haut, dans le ciel», et les yeux de plusieurs, bien qu'ils ne comprissent pas un mot de hongrois, s'embuèrent de larmes.

Une certaine mélancolie, de la tristesse peut-être, s'était également emparée de Lili.

Un soir, il y a quelques jours, je suis allé dans la petite ville voisine, et j'ai flâné, tout seul, dans les rues enneigées.

Le soir tombait. En haut de la brève montée, mon père, fatigué, n'avait plus la force de pédaler. Il poussa encore la bicyclette sur une vingtaine de mètres puis s'arrêta.

Les fenêtres de la maison n'avaient pas de rideaux, et de la palissade près de laquelle il se tenait, on voyait parfaitement l'intérieur de la pièce. C'était comme une scène de genre, un tableau réaliste du siècle passé. L'homme lisait, la femme cousait à la machine. Entre eux, dans un petit berceau de bois, il y avait un bébé, on distinguait même, de derrière la palissade, la poupée qu'il tournait entre ses menottes et le sourire un peu grimaçant de sa bouche encore sans dents.

Les fenêtres n'avaient pas de rideaux : j'ai regardé l'intérieur d'un petit logement d'ouvriers... Je me sens fatigué. Vingt-cinq ans, et quelle quantité de choses mauvaises ! Impossible de me rappeler une vie familiale harmonieuse et belle : je n'en ai pas connu. C'est peut-être pour ça que j'en suis aussi follement... je suis passé rapidement, je ne voulais pas les voir plus longtemps...

8.

Lili n'en finissait pas de serrer la fillette du docteur Svensson dans ses bras.

Sára, que les hommes en pyjama, émus, entouraient, continuait de chanter :

> *La grue vole haut dans le ciel*
> *vers le nid qui l'attend.*
> *Le tsigane en route doit faire*
> *halte de temps en temps*[1].

Le docteur Svensson toucha le bras de Lili.

— J'ai reçu une lettre d'Avesta. Il y a là-bas un camp pour les hommes. C'est un confrère, le médecin-chef, qui m'écrit. Sa femme est hongroise.

Lili rougit. Elle balbutia :

— Oui...

— Il s'agit de votre cousin.

— Vraiment ?

---

1. Air célèbre de *Gül Baba*, opérette de Jenö Huszka.

— Je ne sais pas... comment vous dire ça... Une lettre embarrassante...

La fillette parut soudain très lourde à Lili. Elle la déposa précautionneusement.

— Nous avons pensé qu'il pourrait venir me voir.

Le docteur prit la main de l'enfant. Il hocha la tête.

— C'est de cela qu'il est question. Je suis d'accord. Je donne bien entendu l'autorisation.

Lili poussa un petit cri et saisit la main du docteur, qui tenta vainement de se soustraire à ce baisemain.

Au pied de l'estrade, devant le parterre, Sára en était à :

> *Si je pouvais, je voudrais être*
> *vite, encore une fois*
> *sur ton lit couleur de violette*
> *serrée tout contre toi...*

Svensson cacha son bras derrière son dos.

— Mais il y a quelque chose qu'il faut que vous sachiez.

— Je sais tout !

Svensson respira un grand coup.

— Non, cela vous l'ignorez. Votre cousin est gravement malade.

Lili eut un pincement au cœur.

— Vraiment ?

— Les poumons. C'est grave. Irréversible. Vous connaissez ce mot allemand : *irreversibel*.

— Je comprends.

— J'ai hésité à vous le dire. Mais il s'agit d'un membre de votre famille. Il faut bien que vous le sachiez. Ce n'est pas contagieux.

Lili caressa les cheveux de la blondinette.

— Je comprends. Ce n'est pas contagieux.

Sára, au pied de l'estrade, était arrivée au bout de sa chanson. Il y eut un silence. On n'entendit plus que la fillette qui chantonnait. Comme un écho lointain, faiblissant.

Svensson, pour la faire taire, lui mit son index sur la bouche. L'écho s'éteignit.

— Chère Lili, prenez soin de vous. Vous n'allez pas bien vous non plus. Pas bien du tout.

Lili, la bouche sèche, fut incapable de répondre.

*

Mon père, bien qu'il s'efforçât de le cacher, était un peu troublé par le diagnostic de Lindholm. En fait, il ne croyait pas le médecin-chef, mais il aurait voulu asseoir sa conviction sur l'avis d'une personnalité compétente. Aussi demanda-t-il à Jakobovits, qui avant la guerre avait été assistant d'un chirurgien à Miskolc, de contre-expertiser les radios. En pratique cela signifiait qu'ils devaient entrer par effraction dans le cabinet de Lindholm. Harry, toujours partant là où il pressentait le goût doux-amer de l'aventure, se joignit à eux.

La nuit, une ampoule jaune citron éclairait le couloir étroit du bâtiment central. Mon père, Jakobovits et Harry, pareils à trois kobolds, se dirigèrent furtivement vers le cabinet du médecin.

Harry avait en main un morceau de fil de fer. Il s'était souvent vanté d'avoir brièvement appartenu, avant la guerre, à une bande qui cambriolait les ateliers. À le croire, il s'y connaissait comme pas un pour crocheter verrous et cadenas.

Il trifouilla longuement dans le trou de la serrure. Mon père se repentait déjà d'une action qu'il considérait maintenant avec du recul et se retenait pour ne pas éclater de rire. Finalement Harry réussit à ouvrir la porte, et ils s'introduisirent dans la place.

Ils procédaient comme un commando bien entraîné. Mon père montra par signes à Harry de quelle armoire il s'agissait. Harry y joua de son fil de fer.

Ils n'osèrent pas allumer la lumière, mais c'était la pleine lune et une clarté phosphorescente, une vraie lumière de feux follets, inondait le cabinet de Lindholm. Tous trois se sentaient comme les héros d'un conte.

La serrure sauta. Harry fit également un sort à l'armoire. Mon père se précipita, fit courir ses doigts sur les dossiers, le sien, il s'en souvenait, devait être un de ceux du milieu. Il le trouva, et poussa un soupir. Il sortit les radios, les passa à Jakobovits.

L'infirmier de salle d'opération s'installa confortablement dans le fauteuil de Lindholm, et sous les rayons de la lune entreprit d'examiner les clichés.

La porte s'ouvrit alors et la lumière s'alluma. La chaude lumière de trois ampoules de cent watts inonda le cabinet.

Márta, l'infirmière en chef, l'épouse de Lindholm, se tenait sur le seuil. Sous sa blouse, ses seins menus tremblaient.

— Que font-ils ici, messieurs les malades ?

Messieurs les malades, qui portaient tous, sous leurs manteaux de fortune, le pyjama rayé de l'hôpital, ne firent qu'un bond. Jakobovits laissa tomber les radios. Il n'y avait rien à répondre, la situation parlait d'elle-même. Márta pimenta la pantomime en allant tranquillement, de sa démarche de canard, ramasser un à un les clichés.

Alors seulement elle se tourna vers la brillante compagnie.

— Je ne vous retiens pas.

Messieurs les malades tournèrent les talons, et à la queue leu leu cinglèrent vers la sortie,

Márta rappela mon père.

— Vous, Miklós, restez ici.

On put presque entendre tomber le rocher qui pesait sur la poitrine de Jakobovits et de Harry.

Mon père fit demi-tour, affichant son air le plus contrit. Márta trônait déjà dans le fauteuil de son mari.

— Que voulez-vous savoir ?

Mon père balbutia :

— Mon ami Jakobovits est un peu médecin. Était, avant que... Bref, j'aurais voulu lui faire évaluer...

— Erik ne l'a pas fait ?

Mon père baissa la tête vers ses godillots, dont les lacets négligemment noués pendouillaient.

— Si, il l'a fait.

Márta le fixa si longtemps que mon père fut obligé de soutenir son regard. Elle opina du chef comme pour dire qu'elle avait pris acte, qu'elle avait compris, qu'elle comprenait. Elle se leva, remit les clichés dans la chemise, rangea le carton parmi les dossiers, à sa place dans l'ordre alphabétique, referma la porte de l'armoire.

— Erik fera tout pour vous. Vous êtes son plus cher patient.

— Tous les jours, à l'aube, elle remonte. 38,2.

— De nos jours, on brevette chaque semaine dans le monde de nouveaux médicaments. Tout peut arriver.

En mon père quelque chose se brisa. Cela lui tomba dessus si rapidement qu'il n'eut pas le temps de se retourner. Comme un tremblement de terre qui renverse tout. Honteux d'être impuissant à se défendre, il s'écroula, enfouit son visage dans ses mains. Il sanglotait.

Márta, avec tact, se détourna.

— Vous avez traversé des épreuves terribles, et vous avez survécu. Oui, vous avez survécu, Miklós. Ne lâchez rien, c'est la dernière ligne droite.

Mon père resta un long moment sans pouvoir répondre. Ce n'étaient plus des pleurs, mais un gémissement de bête blessée. Il essayait d'articuler des phrases compréhensibles, mais c'était comme si ses organes de la parole l'avaient laissé en plan.

— Je ne lâche rien...

Márta l'observait, désespérée. Il était accroupi, couvrant son visage de ses bras. Elle fit un pas vers lui.

— C'est bon. Du calme. Remettez-vous.

Ils se donnèrent du temps l'un à l'autre. Mon père ne pleurait plus mais, caché derrière ses bras, il se recroquevilla plus encore. Enfin il put de nouveau parler.

— Oui.

Márta s'accroupit à côté de lui.

— Regardez-moi, Miklós.

Mon père, d'entre ses coudes osseux, la regarda. Márta, cette fois du ton neutre, professionnel, de l'infirmière, ordonna :

— Respirez profondément.

Mon père s'efforça de respirer avec régularité. L'infirmière en chef dirigeait :

— Un... deux... un... deux... Bien à fond... Lentement...

La cage thoracique de mon père montait, redescendait... Un... deux... Un... deux...

— Lentement... Profondément...

Vois-tu, ma chère, très chère petite Lili, je ne suis pas bête, je sais que la maladie qui me confine ici disparaîtra lentement. Mais je connais mon prochain. Je n'ignore pas avec quelle affreuse commisération ils disent : les poumons...

*

Dans le parc de l'hôpital militaire d'Eksjö il y avait un kiosque à musique. C'était un élégant bâtiment circulaire, dont de gracieuses colonnes blanches soutenaient le toit de bois, vert foncé. À pareille époque, en novembre, seules y roulaient les feuilles mortes, sous le souffle du vent glacé. Lili, qui en semaine ne pouvait toujours pas quitter le périmètre de l'hôpital, y trouvait refuge. Quand elle ne pouvait plus supporter l'odeur du bâtiment, elle y faisait un saut. Les plus belles journées, elle s'adossait à l'une des colonnes, livrant son visage aux fugaces rayons du soleil.

Mais à présent des vents hostiles soufflaient. Lili et Sára n'en finissaient pas de tourner autour des colonnes, comme des possédées, dans leurs épaisses capotes de feutre réglementaires.

Mon petit Miklós, je suis très fâchée contre toi !

Comment un homme de vingt-cinq ans, sérieux et intelligent, peut-il être un tel âne ? ! Ne te suffit-il pas que je sois tout à fait au clair sur ta maladie et que je t'attende avec impatience ? !

*

À cette même époque deux personnages en costume-cravate arrivèrent à Avesta et furent conduits directement à la baraque des Hongrois. C'étaient des collaborateurs de l'ambassade de Hongrie. Ils brandirent bien haut, au milieu de la chambrée, un poste de radio entouré d'un ruban. L'un d'eux prit la parole :

— Cet appareil vous est envoyé de Hongrie, par l'usine Orion qui vous le prête ! Je vous en prie, écoutez-le et portez-vous bien !

Tibor Hirsch réceptionna l'appareil au nom de la baraque :

— Merci ! Un mot hongrois venant de Hongrie est pour nous plus chargé de sens que tous nos médicaments.

On posa le poste sur une table, mon père chercha une prise, Harry brancha l'appareil. Un voyant vert s'alluma et l'on entendit un grésillement. L'un des costumes-cravates enjoignit :

— Cherchez Budapest !

Moins d'une minute plus tard, la radio parlait hongrois !

« Chers auditeurs, il est dix-sept heures et cinq minutes, nous vous transmettons à l'intention des Hongrois de l'étranger le message de M. Sándor Millok, commissaire du gouvernement et délégué au rapatriement : "Tous les Hongrois qui, où que ce soit dans le monde, captent cette émission doivent savoir que sous sommes de cœur avec eux, que nous ne les avons pas oubliés. Dans les minutes qui viennent, à leur intention et à celle des auditeurs de la radio hongroise, nous allons rendre compte des dispositions par lesquelles nous facilitons les démarches de nos compatriotes désireux de rentrer au pays..." »

Tard le soir, les garçons sortirent s'asseoir dans la cour, disposèrent le poste de radio sur la table de bois, apportèrent une rallonge électrique. Un vent violent soufflait et l'ampoule se balançait au-dessus d'eux, fantomatique. Ils avaient l'habitude, avant de se coucher, de passer là, dehors, une demi-heure au grand air, mais cela faisait près de six heures que la radio marchait sans discontinuer. Ils avaient enfilé sur leur pyjama pull-over ou blouson, ils s'enroulaient dans de grosses couvertures, ils se pelotonnaient presque dans l'appareil. Le voyant vert leur adressait des œillades de farfadet.

On retransmettait, de Washington, l'allocution radiophonique du sénateur américain Claude Pepper. Toutes les cinq phrases environ le speaker traduisait à mi-voix.

Vinrent ensuite les nouvelles de Budapest. Les informations, ragots et bribes de reportages des heures passées tourbillonnaient dans leurs têtes telles les rafales d'une bise venue du pôle Nord.

À Budapest, le second convoi des principaux coupables de crimes de guerre est arrivé à la gare de l'Est.

Ouverture du pont provisoire de la place Boráros.

L'entraînement de la première brigade féminine de la police d'État s'est déroulé comme prévu.

La course des garçons de café a eu lieu sur les grands boulevards.

Au second tour du championnat de boxe par équipes, Mihály Kovács, le cogneur du Vasas, a mis hors de combat, d'un seul crochet du droit, Rozsnyói de Csepel.

*

Le dimanche arriva. L'automobile gris foncé des Björkman tourna pour s'arrêter devant l'hôpital. Lili, qui les attendait à l'entrée, s'installa sur le siège arrière.

Après la messe, on rentra à Smålandssternar et on s'attabla pour le déjeuner dominical. Sven Björkman dit le bénédicité. Tandis que Mme Björkman servait le potage, le chef de famille constata avec satisfaction que la petite croix d'argent qu'ils lui avaient offerte brillait au-dessus des seins de Lili. Mais on ne savait toujours pas comment nouer la conversation à cause de l'obstacle de la langue. Ce fut encore en suédois que le papetier demanda :

— Toujours pas de nouvelles, Lili ?

Les yeux baissés, bien qu'elle comprît tous les mots, elle fit non de la tête.

Björkman eut pitié d'elle.

— Tu sais quoi, Lili, parle-nous de ton père !

Les épaules de Lili tressaillirent. Comment pourrait-elle... ?

Björkman se méprit, la croyant en délicatesse avec le suédois. Brandissant sa cuiller comme un chef d'orchestre sa baguette, il s'évertua à bien se faire comprendre :

— Ton papa ! TON PA-PA ! Ton père ! Ton papounet ! Tu comprends ?

Lili hocha la tête : oui, elle comprenait. Non sans réticence elle répondit :

— Je ne sais pas assez bien l'allemand...

Björkman ne se laissa pas démonter.

— Ça ne fait rien ! Raconte en hongrois ! Nous t'écoutons ! Rassure-toi, nous comprendrons ! Mais parle-nous de lui. En hongrois ! Eh bien, vas-y ! Commence !

Cela semblait impossible. La cuiller de Lili tremblait dans sa main. Tous les Björkman la dévisageaient. Ils attendaient. Les deux enfants aussi. Lili s'essuya la bouche avec une serviette. Elle laissa tomber ses mains au creux de sa jupe. Son regard s'abaissa sur la croix, au-dessus de son pull-over. Et à mi-voix elle commença, en hongrois :

— Mon père à moi, mon gentil papa... a les yeux bleus... Si bleus qu'ils sont comme des lampes ! Il n'a pas son pareil au monde...

La famille Björkman l'écoutait, stupéfaite. Le papetier, assis légèrement de guingois, opinait du chef sans bouger, comme ensorcelé par la musique de cette langue exotique. Que pouvait signifier pour lui ce chant, ce rythme ?

— Papa n'est pas grand... ni petit non plus... il nous aime beaucoup... pour ce qui est de son métier, il est représentant... représentant en valises.

Sándor Reich, papa, Apuka, le représentant en valises, dès l'aube tous les lundis enfilait la rue Hernád, coltinant de chaque côté une énorme malle-cabine sortie de l'usine Vulkan dans laquelle s'étageaient, telles les pelures d'un oignon, des douzaines de sacs et de valises de plus en plus petits.

Cette image s'imposait si nettement à Lili qu'elle voyait également, sans avoir à fermer les yeux, l'ombre d'Apuka que le soleil du printemps projetait sur les façades.

— ... toute la semaine mon papa parcourt la province. Mais en fin de semaine, le vendredi, il revient toujours chez nous... Le logement que nous avons loué est à deux pas de la gare de l'Est. Le lundi matin, papa s'en va, à pied, avec son assortiment. Il prend la rue Hernád, jusqu'à la gare de l'Est. Le vendredi, il revient avec son assortiment. Nous l'attendons déjà...

Sur les ailes des mots qu'elle prononçait, Lili, sans difficulté, retrouvait le passé. Ils étaient là, rue Hernád, assis autour de la table dressée comme il se doit : papa (Apuka), maman (Anyuka), et la petite fille de huit ans qu'était alors Lili. À la place d'honneur trônait encore quelqu'un, un homme mal rasé qui s'efforçait de boutonner son méchant manteau afin que personne ne pût voir les taches de sa chemise élimée et son pantalon déchiré. Papa avait essayé de lui faire quitter son manteau, avant d'y renoncer. L'inconnu, gauchement, de ses ongles sales, essayait d'ouvrir la salière.

— ... le vendredi soir, chez nous, nous avons toujours un repas de fête. Papa invite à dîner un juif nécessiteux. C'est ainsi qu'il honore le sabbat. Ce pauvre, il le trouve le plus souvent aux abords de la gare...

Sven Björkman eut l'air d'avoir compris. Il avait la larme à l'œil, mais ramassé sur lui-même, assis de guingois sur sa chaise, il ne bougeait pas. Un sourire extasié illuminait le visage de sa femme, et même les deux enfants, entre deux cuillerées, ouvraient de grands yeux.

— ... c'est comme ça que notre famille, tous les vendredis, compte quatre membres...

Lili n'osait baisser les yeux sur la croix d'argent qui pendait à son cou.

Le soir, au cours du long trajet jusqu'à Eksjö, Mme Björkman initia Lili aux démarches qui compliquaient, en Suède, la procédure d'adoption. Elle n'était pas autrement troublée par le fait que la jeune fille ne pût déduire que du contexte le sujet de son monologue exalté.

Lili avait déjà disparu depuis longtemps derrière la double porte en bois de l'hôpital militaire, que les Björkman, appuyés à leur voiture, continuaient à lui faire au revoir de la main.

Mon petit Miklós, n'oublie pas ta promesse : trouve un partenaire pour Sára, ma meilleure amie! Sára est plus âgée que moi, elle a maintenant vingt-deux ans...

*

Mon père, en manque de nicotine, franchit d'un trait la courte distance qui le séparait de la conciergerie. Il entra sans frapper. Frida et Harry, surpris, se séparèrent.

Mon père bredouilla :

— C'était pour des cigarettes...

Frida, sortie précipitamment des bras de Harry, s'envola d'un coup d'ailes jusqu'à l'armoire sans prendre le temps de reboutonner sa blouse. Elle en sortit une boîte. Les cigarettes étaient là, de différentes marques, entassées en vrac dans la caissette. Frida riait niaisement, ses seins opulents débordant de son décolleté.

— Il vous en faut combien ?

Mon père, gêné aussi pour elle, se contenta de montrer qu'il en voulait quatre. Frida humecta de salive deux de ses doigts et piocha. Mon père avait sorti la monnaie. Ils firent l'échange.

Harry enlaça Frida par-derrière, l'embrassant dans le cou.

— Donne-les-lui gratis, ma chérie, c'est mon meilleur copain. C'est grâce à lui que je ne suis plus impuissant.

Frida adressa un regard coquin à mon père, haussa les épaules et rendit les piécettes.

C'est que je suis bien embêté par ta demande! Nous sommes ici seize Hongrois, mais il n'y en a pas un seul que je puisse sélectionner pour Sára.

Je voulais vous amener Harry, mais je ne veux plus le faire...

*

À Eksjö, depuis leur succès, les soirées lyriques s'étaient multipliées. Svensson avait permis à Lili et à Sára de réduire de moitié leur temps de repos imposé. À deux heures de l'après-midi, les deux jeunes filles s'enfermaient dans la salle d'honneur et répétaient. Le médecin-chef leur avait même procuré des partitions.

L'une de ces partitions comportait tout un choix des œuvres de Leoncavallo. Cette semaine-là, elles interprétèrent en public ce qui était sans doute son air le plus fameux, « Mattinata ». La voix de soprano de Sára, dans ce chant romantique de haute volée, prenait son essor et montait vers les cieux. Ses bras, d'enthousiasme, s'ouvraient largement. Lili adoptait elle aussi ce style excessif et surfait, elle fondait de haut sur les touches, tel un faucon. Toutes deux regrettaient pour de bon de ne pas avoir des robes de scène. À dire vrai, elles n'avaient aucun vêtement qui pût convenir en l'occurrence, aussi préféraient-elles se produire drapées dans la robe de chambre de l'hôpital, laquelle cachait tout juste leur chemise de nuit.

Judit avait pris place parmi les soldats, dans une rangée où elle était la seule femme. Elle se redressait fièrement : il faisait bon être hongroise.

L'Aurora, di bianco vestita,
Già l'uscio dischiude al gran sol.
L'aurore tout de blanc vêtue
Ouvre la porte au grand soleil.

Il devait y avoir alors quelque chose dans l'air, car le même soir, à trois cent soixante-dix-sept kilomètres plus au nord, à Avesta, la bonne humeur battait son plein.

Sans rien savoir de cette étonnante coïncidence, sur la proposition de Jenö Grieger, on avait entonné, relevée d'un efficace accompagnement à la guitare, cette même aria de Leoncavallo. Comme si un céleste chef de chœur, après avoir, par le truchement de messagers angéliques, mobilisé tous ses choristes, leur avait fait signe d'attaquer tous à la fois le même chant. Dans la baraque aussi on chanta donc «Mattinata», un peu faux certes, mais à pleine gorge, sans complexe et en italien.

À Eksjö, les soldats résistaient de moins en moins à l'élan mobilisateur du chant. La salle n'était que sourire. Sára tendait les bras vers le plafond, Lili planait presque au-dessus de son tabouret.

Dans la baraque, les garçons, dans leur enthousiasme, étaient montés sur les lits et les tables. Harry Grieger n'avait pas résisté à la tentation : il dirigeait.

Ove non sei la luce manca,
Ove tu sei nasce l'amor !
Là où tu n'es pas, la lumière manque,
Là où tu es l'amour apparaît !

Mon père était au premier rang, debout, la chaleur l'inondait, l'avenir paraissait radieux. «Mattinata» était en fin de compte un hymne à l'amour, il pouvait à bon droit avoir le sentiment que c'était directement *lui* que les autres saluaient par ce chant.

*

Je t'envoie également le coton pour le pull-over ainsi que les mesures. Tu n'es pas fâchée?

Mon père, en parlant au téléphone avec Lili, avait déjà fait allusion à un grand-oncle cubain auquel il devait, disait-il, d'être plus à l'aise que les autres réfugiés du camp. Ce frère aîné de sa mère, Henrik, avait inscrit son nom dans la légende familiale en faisant main basse, en 1932, sur les bijoux de famille et en émigrant à Cuba, sans l'ombre d'un remords. Dès son arrivée à La Havane, il avait envoyé à la famille, à Debrecen, une carte postale illustrée dans laquelle il peignait un tableau enthousiaste des merveilles de sa nouvelle patrie.

Mon père, enfant, avait souvent regardé l'instantané en noir et blanc qui, par un après-midi pluvieux, avait éternisé le port encombré de La Havane. Il ne revoyait que confusément le visage de tonton Henrik. Il lui semblait qu'une fière moustache avait dû ombrager sa bouche et aussi, mais il n'en aurait pas juré, qu'il portait certains jours un pince-nez devant ses yeux toujours pétillants.

Sur la carte postale que les membres de la famille se montrèrent avec effroi pendant des années comme la preuve d'une impardonnable trahison, on distingue, à côté des automobiles Ford qui se pressent sur le quai, un transatlantique à trois cheminées. Quelques dockers, maigres à faire peur et battant le pavé, fixent également l'objectif ; il est facile de voir en eux l'avenir de tonton Henrik. Mais le tonton, qui n'avait rien d'un saint, ne s'imaginait aucunement chargeant et déchargeant des navires.

Sur une autre photographie, qu'il envoya des années plus tard manifestement dans le but de titiller à mort la jalousie de sa parentèle, eh bien oui, sur cette photographie digne de foi et d'une netteté parfaite, notre Henrik embrasse une métisse, entouré d'une bonne douzaine de petits enfants qui courent çà et là.

Henrik et la femme au large visage posent en pied sur une galerie de bois. Il a le cigare à la bouche, et au dos de la photo, de son écriture chancelante, il a tracé deux lignes : «Je vais bien, je suis entré comme associé dans une plantation de canne à sucre.»

Mon père, quand l'ardeur épistolière s'était emparée de lui, avait aussitôt pensé à cet oncle comme à une possible ressource financière. À toutes fins utiles il lui avait écrit qu'il avait heureusement survécu au grand conflit qui venait de ravager l'Europe et qu'il était soigné en Suède. Une image flottait devant ses yeux, tel un mirage. Adolescent, il avait beaucoup rêvé de Cuba quand, dans la cour Gambrinus, il tournait les pages d'un certain album édité dans les années 1920. Sur cette photo imaginaire, l'oncle Henrik, sur la fameuse galerie, se balançait dans un hamac. Il avait beaucoup engraissé et devait bien peser cent vingt kilos. La galerie, dans la vision de mon père, se dressait au sommet d'une montagne, avec vue sur la mer.

L'oncle Henrik vivait-il vraiment ainsi ou dans un luxe plus grand encore ? La rumeur publique n'en disait rien. Toujours est-il qu'il ne répondit pas un traître mot à la lettre de mon père, mais trois semaines plus tard on put facilement l'identifier comme l'expéditeur de quatre-vingt-cinq dollars.

Ce fut le capital de mon père.

Le jour même où l'argent arriva de Cuba, mon père s'en servit pour acheter, dans une minuscule boutique, à un vieillard qui sentait le vinaigre, le coton le plus laid du monde. Ensuite le tout frais propriétaire des quatre pelotes couleur de boue fit paraître pour Lili, dans le journal hongrois *Világosság*, un avis de recherche dont le texte émouvant était de sa plume. Lili, de Suède, essayait par ce truchement de retrouver maman – Anyuka.

Mon père, grâce à la même dotation qu'il n'était pourtant guère possible de qualifier de princière, acheta en outre dans une pâtisserie trois bombes au chocolat, dont il fit ficeler l'élégant carton d'un ruban doré. Son investissement le plus sérieux, ce furent les trois mètres et demi de tissu destinés à un manteau et qu'il mit longtemps à choisir, tremblant d'hésitation, dans l'unique magasin de tissus de la petite ville.

Il était enfin prêt pour son voyage.

9.

Il voyagea toute la journée. Il lui fallut maintes fois changer de train. Il prit place dans divers compartiments, tantôt près de la fenêtre, tantôt – parce que c'était le seul endroit où il trouvait de la place – serré contre la porte. Chaque fois il se dépouillait soigneusement de son énorme manteau d'hiver, le pliait, le posait sur ses genoux. Parfois la chaleur du compartiment embuait les verres de ses lunettes ; pour les essuyer il pêchait dans la poche de son pantalon le mouchoir qu'il avait reçu de Lili. Il faisait très attention à l'élégant paquet contenant les gâteaux. Dans chaque compartiment, il veillait à le mettre en sécurité pour qu'il ne risque pas d'être écrasé.

Parfois il s'endormait, et quand il se réveillait en sursaut, il regardait par la fenêtre. Les gares défilaient : Hovsta, Örebro, Hallsberg, Motala, Mjölby.

Une fois – après Mjölby – en entrant dans le compartiment, il glissa et s'étala. Une chose horrible arriva : le verre gauche de ses lunettes vola en éclats !

... Je suis passé par Stockholm afin de m'y faire délivrer personnellement les billets de train au bureau de l'Utlänningskommitté. Tu sais quoi ? Je t'embrasse, Miklós

Dans le couloir, il y a deux renfoncements. L'un est particulièrement plaisant. Nous pouvons y passer toute la journée assises sous un énorme faux palmier sans être dérangées par personne. Oui, bon, d'accord, je t'embrasse, Lili

... il y a quelque chose que je veux te dire, le premier soir, quand je serai là, une seconde avant qu'on se dise bonne nuit pour la première fois ! Ce n'est pas sur le mode « oui, bon, d'accord », mais bien comme il faut et plusieurs fois que je t'embrasse, Lili

Parmi les recueils de Sára, il y a encore un chant que tu connais certainement : « La Marche des coolies chinois »... Je t'attends impatiemment ! En attendant de te voir je t'embrasse mille fois, Lili

Je me réjouis de ce renfoncement, car je n'aime pas être en scène pour bavarder... En pensée je caresse tes cheveux (je peux ?), et je t'embrasse mille fois, Miklós

Ce matin, j'ai été réveillée par une démangeaison à l'œil droit. Je l'ai dit à Sára, c'est un très bon signe ! À très, très bientôt, je t'embrasse, Lili

J'arriverai le 1er, à 18 h 17 ! Affectueusement je t'embrasse et je t'embrasse, Miklós

*

Le 1er décembre, à Eksjö, il neigeait dru. Dans la gare de la petite ville, le quai et les voies étaient à découvert, la seule partie couverte se trouvant devant le bâtiment principal, un bâtiment à un étage orné d'un fronton.

Des trois rames qui formaient le convoi un seul passager descendit : mon père. Celui qui s'approchait, clopin-clopant, n'avait rien d'un don Juan. Le poids de la valise qu'il trimbalait – une valise archifatiguée en fibre vulcanisée, que Márta, l'infirmière en chef, lui avait prêtée – tirait sur son épaule droite. Par sécurité il l'avait entourée d'une ficelle. Dans la main gauche, il tenait précautionneusement les trois bombes au chocolat.

Lili et Sára l'attendaient devant le bâtiment principal. Lili serrait nerveusement la main de son amie. Derrière les deux jeunes filles se tenait une infirmière, couverte d'une pèlerine noire qui descendait jusqu'à terre. Svensson l'avait désignée pour accompagner ses deux patientes.

Mon père, apercevant de loin ce comité d'accueil, afficha un sourire embarrassé. Une grimace pas trop réussie. À la pâle lueur des lampes du quai, le métal de ses dents – le vipla – scintilla.

Les deux jeunes filles, alarmées, se regardèrent, puis de nouveau, à contrecœur, se tournèrent vers le quai.

Mon père approchait dans l'épais rideau de neige. Faute de mieux, une demi-heure auparavant, il avait rafistolé le verre gauche de ses lunettes avec du papier journal. Il y avait laissé une petite fente afin que son œil gauche pût voir lui aussi quelque chose. Le papier avait été découpé dans le numéro du jour de l'*Aftonbladet*. Mon père approchait sur le quai enneigé, le manteau emprunté à Márta, trop grand pour lui de deux pointures, flottait autour de ses chevilles, et il semblait avoir des larmes dans les yeux, peut-être à cause du froid, peut-être à cause de l'émotion. Cela se voyait à son œil, à plusieurs mètres de distance, derrière l'épais verre droit de ses lunettes. Et il souriait largement, de ses dents de métal.

Une frayeur mortelle s'empara de Lili. Restait encore un peu de temps, cinq secondes peut-être, avant qu'il puisse l'entendre. Bouche mi-close, comme une folle, elle se tourna vers Sára pour chuchoter :

— Je te le donne ! On fait l'échange !

Mon père n'était plus qu'à trois mètres d'elles, quand d'une petite voix elle implora :

— Je t'en supplie, dis que tu es Lili !

L'infirmière, qui se tenait en retrait, vit non sans émotion l'homme maigre au drôle de manteau aborder ses patientes et poser précautionneusement dans la neige sa valise battue par les orages.

Mon père s'était soigneusement préparé au rendez-vous le plus important de sa vie. Il avait concocté un discours bref – trois phrases – mais frappant, fait de mots auxquels il attribuait un effet magique. Au cours de son voyage, qui dans des compartiments surchauffés lui avait paru interminable, il se l'était mille fois murmuré, tantôt avec volubilité, tantôt avec une lenteur solennelle. Mais à présent, sous l'effet du bonheur qui l'assaillait, il demeurait proprement sans voix. Comme s'il avait oublié jusqu'à son propre nom. Incapable de laisser entrer l'air jusqu'à ses cordes vocales, il ne sut que tendre la main sans un mot.

Sára y porta son regard. Cette main, du moins, était belle. De longs doigts, une jolie paume. Sára la saisit, décidée :

— Lili Reich.

Mon père lui serra la main. Il la serra fort, puis se tourna vers Lili. Celle-ci, d'une voix sonore – sur une poignée de main rapide, véhémente – se présenta :

— Sára Stern, l'amie de Lili.

Mon père ne sut que grimacer un sourire, le sourire de ses innombrables dents de vipla. Incapable de parler, il était condamné à être muet.

Ils restèrent là, debout, immobiles.

Mon père remit enfin à Lili le paquet à ruban doré qui contenait les gâteaux. L'infirmière s'avança d'un bond et arracha les bombes au chocolat des mains de la jeune fille. Elle se chargeait de les porter ! Elle eut pour mon père un regard de sympathie et commanda :

— Allons-y !

On se mit en route. Sára, après une petite hésitation, prit le bras de mon père. Lili, les yeux baissés, se joignit à eux. L'idée la traversa de donner le bras elle aussi à mon père, de l'autre côté, mais le geste lui parut trop familier. L'infirmière, sous son bonnet pointu, fermait la marche, tenant à la main l'élégant paquet de la pâtisserie.

Il neigeait toujours, à gros flocons. Pour gagner l'hôpital militaire ils devaient traverser un immense parc.

Ils trottaient dans la neige immaculée. Mon père donnait un bras à Sára. De l'autre main il coltinait sa valise entourée d'une ficelle. Lili et l'infirmière les suivaient à quelques pas.

Soudain mon père, au beau milieu du parc, après huit minutes d'un effrayant silence, comme par un cadeau du ciel, retrouva l'usage de sa voix. Il se racla la gorge, s'arrêta, posa la valise, dégagea son bras de celui de Sára, se tourna vers Lili.

Il ne neigeait plus. Ils étaient là tous les quatre, comme ces héros qu'Andersen, dans un de ses contes, comparait à des miettes de pain sur une assiette blanche, ovale, en porcelaine. Mon père avait une agréable voix de baryton.

— C'est ainsi que je t'imaginais. Depuis toujours. En rêve. Bonjour, Lili.

Lili, stupéfaite, hocha la tête. Elle était soulagée d'un grand poids. Tout semblait naturel. Ils s'étreignirent. Sára et l'infirmière, spontanément, reculèrent d'un pas.

Une demi-heure plus tard, ils occupaient la place sous le palmier, dans le renfoncement du couloir. Deux vieux fauteuils en tapisserie s'y faisaient face. Mon père avait jeté son manteau sur le dossier du sien, avait posé sa valise à côté de lui. Assis l'un en face de l'autre, Lili et lui se regardaient, sans la moindre envie de parler. Parfois ils échangeaient un sourire. Ils attendaient.

Puis mon père souleva sa valise, la prit sur ses genoux, dénoua la ficelle, l'ouvrit. Il avait disposé sur le dessus le tissu pour un manteau d'hiver, non sans l'avoir, au préalable, soigneusement lissé. Il le souleva,

144

comme on soulève un bébé, et le tendit précautionneusement à Lili.

— Pour toi.

— Qu'est-ce que c'est?

— Pour un manteau d'hiver. Il n'y a plus qu'à le faire faire.

— Un manteau?

— Tu m'as écrit que tu n'en avais pas. Que tu n'avais même pas un manteau. Ça te plaît?

Lili, hormis l'unique jeu de vêtements qu'elle avait reçu dès son arrivée en Suède, possédait une jupe de costume populaire, un corsage vert épinard, ainsi qu'une sorte de turban de couleur rouille, tous offerts par les Björkman.

L'épais tissu pelucheux de couleur brunâtre qu'elle caressait réveilla en elle de vieux souvenirs du temps de paix. Ses pleurs l'étranglèrent.

Mon père ajouta :

— J'ai passé une heure à le choisir. Je ne connais rien aux manteaux d'hiver. Ni à ceux d'été.

Lili tapotait le tissu comme pour décoder quelque message mystérieux caché dans sa trame. Elle le renifla.

— Il sent bon.

— Je l'ai transporté dans cette vieille valise. J'avais peur qu'il n'arrive froissé, mais non, grâce à Dieu... Cette valise, figure-toi, c'est l'infirmière en chef qui me l'a prêtée.

Lili se souvenait de tout. Elle avait lu au moins cinq fois chacune des lettres de mon père. Hâtivement d'abord, à grandes goulées, puis, réfugiée dans les toilettes, deux fois encore, à fond, en s'arrêtant pour réfléchir après chaque paragraphe. Plus tard, disons le lendemain, elle les relisait encore deux fois, et derrière chaque mot elle en imaginait d'autres. Elle savait beaucoup de choses sur Márta.

— Mickey ?

— Elle-même.

Mon père avait tant de choses à raconter. Les phrases se bousculaient en lui. Par laquelle commencer ?

Il avait encore dans sa poche une cigarette. Il la sortit, ainsi que des allumettes.

— Ça ne te dérange pas ?

— Penses-tu ! Et toi, tes poumons ?

— Ça va. Ça va bien là-dedans.

Il montrait son thorax.

— Sauf le cœur. Qui est prêt à se briser. Il bat si fort !

Lili caressait le tissu. Ses doigts en palpaient le précieux grain.

Mon père alluma sa cigarette. Il exhala un nuage de fumée grise dont les volutes tournèrent au-dessus de leurs têtes.

Enfin ils se lancèrent. Sans finir leurs phrases, avidement. C'était comme le lâcher d'un barrage. Ils se coupaient la parole, excités, impatients, ils voulaient tout rattraper, tout pallier.

Mais ils ne parlèrent pas des choses les plus importantes.

Ni alors ni plus tard.

*

146

Mon père ne raconta pas que trois mois durant il avait incinéré des cadavres dans le camp de concentration de Belsen. Comment aurait-il pu parler de cette puanteur écœurante qui prenait à la gorge et flottait au dessus du monceau de cadavres? Parler des membres nus, à la peau squameuse, qui glissaient sans arrêt d'entre ses mains et s'écrasaient avec un bruit sourd, stupide, sur les autres corps gelés?

Lili, elle, était incapable de raconter le jour de sa libération. Il lui avait fallu près d'une demi-journée pour se traîner de la baraque au magasin d'habillement. Elle était nue, le soleil brûlait sauvagement. Les Allemands avaient déjà filé. Les cent mètres qu'elle avait à parcourir lui avaient pris environ neuf heures. Lili se rappelait seulement que, plus tard dans l'après-midi, elle était assise, vêtue d'une capote d'officier allemand, adossée au mur, baignant son visage dans la lumière. Comment cette capote était-elle arrivée sur son dos?

Mon père était incapable de raconter qu'avant de brûler des cadavres il avait soigné, dans le pavillon spécial, des malades du typhus. Dans le Block 17, le pire du camp. Il y distribuait du pain et de la soupe à des demi-morts. On lui avait mis au bras le brassard noir des Oberpflegers. Aurait-il pu raconter la fois où Imre Bak avait frappé à la fenêtre? Raconter que celui-ci était à quatre pattes et qu'il aboyait comme un chien enragé? Imre Bak était son meilleur ami, leur amitié remontait à Debrecen, au bon temps disparu. Imre espérait obtenir un médicament. Peut-être. Ou simplement une parole humaine. Mais le Block de la mort typhique, on ne pouvait pas y entrer comme ça. Mon père, par la vitre souillée, le vit tomber à la renverse, sa belle tête intelligente dans une flaque. Il était mort.

Lili n'eut pas un seul mot non plus, ni alors ni plus tard, pour évoquer les douze jours passés dans le wagon en route pour l'Allemagne. Aurait-elle pu dire que le septième jour elle avait découvert qu'on pouvait lécher, sur la paroi du wagon, le givre qui s'y était déposé pendant la nuit. Elle avait si soif ! Si affreusement soif ! Tandis qu'elle léchait la paroi du wagon, Terka Koszárik, à côté d'elle, depuis vingt heures déjà gémissait sans discontinuer. Terka était peut-être la plus heureuse des deux. Elle était déjà devenue folle.

Mon père ne raconta pas comment on s'était battus et entre-tués dans le dispensaire de Belsen. Il pesait vingt-neuf kilos, on l'avait transporté à bras jusqu'à la benne d'un camion. Ensuite il était resté alité pendant des semaines, une infirmière allemande musclée soulevait trois fois par jour son corps léger comme un papillon et y déversait un litre d'huile de poisson. Un dentiste allemand était couché à côté de lui. Il avait plus de trente-cinq ans, parlait plusieurs langues, savait qui étaient Bergson, Einstein et Freud. Ce dentiste, un mois et demi après la libération du camp, avait battu à mort, pour une livre de beurre, un Français plus malheureux que lui. Non, de cela mon père ne parla pas.

Lili, c'est vrai, ne raconta pas non plus l'hôpital de Bergen. Elle avait dû s'y trouver, gisante, non loin de mon père, dans la section des femmes. On était en mai, c'était le printemps, la guerre venait de se terminer. Lili avait obtenu un crayon et du papier. On lui demandait d'écrire son nom et sa date de naissance. Elle avait réfléchi profondément. Comment s'appelait-elle ? Elle ne s'en souvenait plus. Non, elle avait beau faire. Elle était complètement désespérée à l'idée qu'elle ne retrouverait jamais son propre nom.

Ils ne parlèrent pas de ces choses-là.

Mais deux heures plus tard mon père caressait les cheveux de Lili et, se soulevant gauchement de son fauteuil, il lui déposa un petit baiser sur le bout du nez.

*

Il était déjà plus de minuit quand une infirmière s'arrêta discrètement à trois mètres d'eux. Lili comprit qu'ils devaient se séparer pour la nuit. On accompagna mon père au premier étage, dans une chambre à quatre lits dont l'un lui était réservé pour deux nuits.

Il se déshabilla, se mit en pyjama. Il éprouvait un bonheur d'une telle élémentaire intensité que jusqu'à l'aube il fit et refit le court chemin qui menait de la fenêtre à la porte. Vers trois heures et demie, survolté, il dut se forcer à se mettre au lit. Mais il ne put dormir pour autant.

Le lendemain, à neuf heures, après le petit déjeuner, ils étaient de nouveau assis sous le palmier. Quand Judit, vers onze heures, descendit chercher le courrier des femmes à la conciergerie, elle aperçut, dans le renfoncement du couloir, Lili et mon père penchés l'un vers l'autre et qui chuchotaient. Elle se dépêcha de détourner la tête, honteuse de la jalousie qui fondait sur elle comme si l'air venait à lui manquer.

Lili s'apprêtait à faire l'aveu de son secret le plus secret. Elle poussa un gros soupir.

— J'ai commis une grave faute. Personne ne le sait. Pas même Sára. À toi je vais le dire.

Mon père se pencha et lui toucha la main.

— Tu peux tout me dire. Tout.

— J'ai tellement honte... Je... Je...

Elle s'interrompit. Mon père lui dit avec assurance :

— Tu n'as pas à avoir honte.

— ... Je ne sais pas comment expliquer... c'est horrible... quand nous avons dû décliner notre identité... avant d'être pris sur le bateau suédois... non, je ne peux pas le raconter...

— Mais si, voyons !

— J'ai... j'ai... au lieu du nom de maman, elle s'appelle Zsuzsanna Herz, bref, au lieu de son nom... je ne comprends pas, je ne sais pas pourquoi, mais j'ai été incapable de prononcer ce nom. J'ai menti ! J'étais incapable de prononcer le nom de ma mère. Tu comprends ça ?

Lili saisit la main de mon père et la serra. Son visage était devenu si pâle qu'il en était presque lumineux. Mon père alluma une cigarette, comme toujours quand il réfléchissait profondément.

— Tu voulais changer le destin. C'est la seule explication.

Lili réfléchit.

— En effet. Comme tu exprimes bien cela ! Changer de destin ! Sans que je m'y sois particulièrement préparée, une solution se présentait ! Devenir autre. Ne plus être juive. Il suffit d'un mot et je me métamorphose.

— La grenouille qui devient princesse.

Mon père adorait puiser ses comparaisons dans les contes. Mais peut-être parce qu'il trouvait celle-ci trop triviale, il ajouta :

— C'était pareil pour moi. Mais j'ai été lâche.

— J'ai dit là-bas, sur le quai, quand j'étais sur le brancard, que ma mère s'appelait Rozália Rákosi. Où suis-je allée chercher ce nom ? Rákosi ? Je n'en ai pas la moindre idée ! Rozália Rákosi, c'est ce que j'ai dit. Au lieu de son vrai nom !

Mon père écrasa son mégot dans le cendrier en fer-blanc.

— Calme-toi. C'est fini.

Lili hocha la tête.

— Non, ce n'est pas fini, tu vas voir. Parce que j'ai dit aussi que c'était seulement mon père qui était juif, que ma mère, Rozália Rákosi, était catholique ! Et ça ne suffisait pas. Que moi aussi j'étais catholique, c'est ça que j'ai déclaré, tu comprends ? Je voulais en finir avec ça. La judéité ! Terminé !

— Ça peut se comprendre.

Lili se mit à pleurer. Mon père sortit le mouchoir qu'il gardait précieusement. Lili cachait son visage dans ses mains.

— Non, non, c'est une horrible faute. Impardonnable. Tu es le premier à qui je le raconte. Et si tu veux le savoir, le dimanche, je vais dans une famille suédoise. Les Björkman. Tout le monde croit que c'est seulement comme ça. Mais non ! Si je vais chez eux, c'est parce qu'ils sont catholiques. Et je vais à l'église avec eux. Et j'ai une croix !

Elle sortit de la poche de sa robe de chambre une enveloppe pliée en deux. Elle la déplia et en sortit la petite croix d'argent. Mon père la prit, la tourna entre ses mains avec méfiance, puis se frotta le front d'un air pensif :

— Alors tout est clair.

— Qu'est-ce qui est clair ?

— La raison pour laquelle ta maman ne s'est pas encore manifestée. Pour laquelle elle ne t'a pas écrit.

Lili reprit la croix, la glissa dans l'enveloppe, la mit dans sa poche.

— Et pourquoi ?

— La liste ! Celle qui est parue dans tant de journaux hongrois. La liste officielle ! Tu y figures sous le nom de Lili Reich, nom de la mère Rozália Rákosi. C'est une autre fille. Ce n'est pas toi ! À Budapest, ta mère t'aura cherchée, elle aura vu ton nom, mais elle n'aura pas su que c'était toi ! Elle recherche une Lili Reich dont la mère s'appelle Zsuzsanna Herz.

Lili se dressa d'un bond et pendant un long moment elle demeura paralysée, les bras au ciel, comme une statue antique. Puis, tombant à genoux devant mon père, elle se mit à lui baiser les mains. Il bondit sur ses pieds, cachant, embarrassé, ses mains dans son dos.

Lili était toujours à genoux, mais elle avait repris ses esprits. Levant les yeux vers mon père, elle murmura ;

— Il faut fêter ça ! Comme tu es intelligent !

Vite elle se releva, et se précipita dans le couloir en criant :

— Sára ! Sára !

10.

Le même jour, à midi, dans le réfectoire carrelé de jaune de l'hôpital militaire, cette halle inamicale où le déjeuner était servi aux jeunes filles et aux femmes une demi-heure plus tard qu'aux hommes, mon père vit enfin arriver le moment de manifester de manière spectaculaire ce qu'étaient ses idées sur le destin du monde.

Cet hiver-là, vingt-trois femmes étaient en traitement au troisième étage de l'hôpital d'Eksjö. Les vingt-trois se trouvaient à présent autour de lui. Parmi elles, trois jeunes Hongroises : Lili, Sára et Judit. Au moyen d'un couteau bien affûté à manche de bois, mon père coupa en menus morceaux les trois bombes au chocolat, chef-d'œuvre du pâtissier d'Avesta. D'abord en deux, puis en quatre, puis en huit. S'empilèrent bientôt devant lui vingt-quatre minuscules morceaux de gâteau à peine plus gros qu'un ongle de femme.

Il monta sur une chaise, il se sentait dans son élément. Il avait également veillé à pouvoir prononcer son allocution dans un allemand de grand style et de haute volée.

— À présent je vais vous expliquer ce qu'est le communisme. Au cœur du communisme il y a l'égalité, la fraternité, la justice. Que voyiez-vous jusque-là? Trois gâteaux au chocolat. Que trois d'entre vous auraient dévorés en quelques instants. Or ces trois bombes au chocolat – qui, soit dit entre nous, pourraient être un pain, un tracteur ou un champ pétrolifère –, je les ai coupées en petits morceaux. En parts égales. Et maintenant je les distribue au peuple. À vous! Servez-vous!

Du haut de sa chaise, il montrait les morceaux sur la table. Sa fine ironie avait-elle fait mouche? Là n'était pas l'important. Les filles, excitées par son discours, se pressèrent autour du plat, et chacune cueillit son fragment de la bombe. Lili, fière, transfigurée, regardait mon père.

Les bouchées de gâteau s'évanouissaient aussitôt avalées; elles descendaient toutes seules. Sára en était tout émue.

— Personne n'a jamais aussi bien exprimé l'essence du communisme.

Seule Judit n'avait pas encore avalé le morceau symbolique auquel elle avait droit. Elle le tourna et le retourna entre ses doigts jusqu'au moment où il se mua en un jus brunâtre qui coula sur le sol.

*

Le 3 décembre, en début de soirée, Lili, sous la surveillance de l'infirmière en pèlerine, raccompagna mon père à la gare. Quand le train s'ébranla, mon père, solidement agrippé, se tenait debout sur le marchepied de la dernière voiture, et il ne cessa de lui faire signe que quand le convoi s'engagea dans la courbe et que le bâtiment néoclassique de la gare eut disparu.

Lili se tint encore longtemps immobile au bout du quai enneigé et glacé. Des larmes brillaient dans ses yeux.

*

Mon père tira derrière lui la porte du compartiment et marcha dans le couloir. Le poème – un poème d'amour – avait été conçu dans la salle aux quatre lits, la seconde nuit de sa visite à Eksjö. Dans la journée, s'il se retrouvait un instant seul dans la salle d'eau ou l'ascenseur, il le fignolait, le corrigeait. Il n'avait pas encore eu l'audace de le réciter à Lili.

Mais à présent, tandis que le tac-tac des roues, de plus en plus rapide, renforçait en lui la musique du poème, celui-ci ne demandait plus qu'à sortir. Il voulait jaillir avec une force contre laquelle mon père ne voulait ni ne pouvait combattre. Il parcourut les wagons, tenant à la main sa valise entourée d'une ficelle. Le morceau de papier journal sur le verre gauche de ses lunettes se délabrait fortement. Mais cela ne le troublait aucunement. Il déclamait. À haute voix. En hongrois.

Le poème volait, dominant le tac-tac. Mon père, tel un contrôleur, ou plutôt tel un marchand ambulant, parcourut ainsi tous les wagons. Sans états d'âme, il dépassait les compartiments à demi vides. De s'asseoir il n'avait nulle envie. Il aurait plutôt désiré créer une communauté de destin avec les voyageurs inconnus qui regardaient, ébahis ou compréhensifs, ce voyageur jacassant dans une langue inconnue. Peut-être certains devinaient-ils en lui le troubadour amoureux, peut-être certains le prenaient-ils pour un innocent échappé d'une maison de fous. Mais il n'en avait cure; il allait de l'avant, déclamant :

> *Trente heures, cela fait trente heures que ma vie*
> *court sur le rail brûlant d'un voyage infini.*
> *J'ai regardé dans le miroir et suis surpris*
> *d'être aussi simplement heureux que je le suis.*
>
> *Trente heures, oui, déjà – les minutes s'envolent –*
> *et je t'aime à chaque seconde un peu plus fort.*
> *Ma main, ma faible main, toi qui l'as rencontrée,*
> *ne l'abandonne pas, garde-la bien serrée.*
>
> *Sans nous lâcher le bras quand l'orage se lève,*
> *comme sur le divan là-bas, sourire aux lèvres,*
> *tu seras ma conscience et m'encourageras*
> *afin que sans faillir je mène le combat.*
>
> *Un idéal m'attend, c'est pour lui que je lutte,*
> *je combats coude à coude avec des multitudes.*
> *Dès lors tout est plus beau, plus simple et radieux :*
> *j'ai pour guide la double étoile de tes yeux.*

Mon père avait le sentiment que c'était là un poème qu'il avait mûri toute sa vie. *Le* poème ! Qu'il sourdait du plus profond de ses entrailles, mais ennobli par la musique du cœur, par la précision mathématique du cerveau. Et quand il arrivait à la fin, il le récitait une deuxième fois, puis une troisième, sans indiquer en aucune manière qu'il le recommençait. Des rails intérieurs, infinis et brûlants, se confondaient avec ceux, infinis et glacés, des chemins de fer suédois.

Plus tard, quand un peu calmé il fut capable de contenir le trop-plein de son bonheur, il s'installa dans un compartiment vide. Il avait l'impression qu'un feu intérieur le brûlait. Avait-il la fièvre? Ses os lui faisaient mal, il lui semblait que sa peau était devenue trop ténue, comme d'ordinaire à l'aube. Il avait toujours sur lui son thermomètre dans son bel étui de métal. Il le prit, le mit dans sa bouche, ferma les yeux, commença à compter. À sa grande surprise, les symptômes, cette fois, l'avaient trompé. Le mercure marquait 36,3. Il n'y avait pas lieu de s'effrayer.

Il regarda par la fenêtre. Défilaient des champs sombres, enneigés. De hauts sapins passaient le long du train.

Ma chère, chère, très chère Lili! Lili ma chérie, comment te remercier de ces trois jours merveilleux? C'est plus pour moi, beaucoup plus que n'importe quoi d'autre...

Il suffisait à mon père de fermer les yeux pour se revoir avec elle dans le renfoncement du couloir, sous le palmier. Les deux vieux fauteuils en tapisserie, en face l'un de l'autre. Le manteau d'hiver jeté sur le dossier, la valise en fibre vulcanisée posée sur le carrelage.

Le silence gêné de la première demi-heure. Assis face à face, ils se regardaient sans aucune envie de parler.

Ma chérie, ma chère petite nigaude de Lilike – je vais te dire à présent comment tu restes en moi.

Première image : 1er décembre – le soir. Le palmier – cette plante indiscrète – vert et qui nous fait signe. Et toi tu souris, tu fermes les yeux. Et tu es si bonne, et si vertigineusement jolie !

Lili avait posé la question à l'improviste. Mon père, si cela avait été dans ses compétences, aurait pu déterminer le registre de sa voix.

— C'est un journal d'aujourd'hui ?

Oui, c'est cela qu'elle avait demandé, avec son sérieux d'institutrice. Mon père, naturellement, n'avait pas compris. Quel journal ?

Lili lui avait alors enlevé ses lunettes et elle avait essayé de déchiffrer ce qui était écrit sur le morceau de papier qui tenait lieu de verre. La gêne s'était envolée.

Le lendemain : tes deux yeux sous ton turban rouge, et nous marchons, dans la rue, bras dessus bras dessous. Oh, cette petite ruelle – cette rue du cinéma !

Ils avaient cheminé ainsi, dans la Kaserngatan, dans le vent violent, mon père au milieu. Lili et Sára lui donnaient le bras. Lui, d'une voix claironnante plus forte que l'ouragan, avait raconté : d'abord la *guba* au pavot de sa maman, puis l'anthropomorphisme de Feuerbach, et pour finir le système de classification des plantes de Linné. Il pouvait enfin tirer profit des longues heures qu'il avait passées juché en haut de son échelle, passage Gambrinus.

Frigorifiés, ils s'étaient jetés dans un cinéma. Les miettes des quatre-vingt-cinq dollars de l'oncle Henrik nichaient encore dans la poche de mon père. Il y avait à l'affiche un film à l'eau de rose, un navet américain dont mon père trouva le nom symbolique : *Les Dédales de l'amour*. C'était une séance en matinée, ils faillirent ne pas avoir de places. Ils se casèrent tous les trois au dernier rang. Mon père, assis entre les deux jeunes filles, ne jetait sur l'écran que de brefs coups d'œil. Il se félicitait d'avoir ce morceau de l'*Aftonbladet* sur son verre de lunettes : il pouvait ainsi sans tricher, sans en avoir l'air, admirer le profil de Lili. Dans un moment de hardiesse, quand le héros du film, un empoté, glissa sur une flaque d'huile et fila comme en luge jusqu'aux pieds de sa belle qui riait aux éclats, mon père, prudemment, prit la main de Lili. Qui serra la sienne.

J'arrête d'écrire – ça me bouleverse trop! Mais ensuite nous rentrons, et en chemin, au carrefour du parc, en un instant...

Entre-temps le soir était tombé sur le parc au milieu duquel, soit dit en passant, Carl von Linné trônait, figé dans la pierre.

Mon père se décida.

Sára, discrète, marchait devant, à deux ou trois mètres, les paumes offertes comme si elle observait la chute de flocons de neige à l'intention d'un institut météorologique. Mon père apprécia sa délicatesse.

Ils passèrent devant les yeux de pierre de Linné. La neige craquait sous leurs semelles, et dans le ciel les étoiles étincelaient.

Mon père arrêta Lili, caressa son visage de ses doigts brûlants – c'était là, sans gants, par moins dix, un phénomène biologique inexplicable – et il l'embrassa. Lili se pressa contre lui, et l'embrassa à son tour. Carl von Linné, du haut de son socle, en était tout pensif.

Sára, rassurée de ne plus entendre enfin le craquement énervant de la neige sous les deux paires de chaussures, continua à marcher jusqu'à l'extrémité du parc. Intérieurement elle s'était mise à compter, sans hâte. Arrivée à cent trente-deux, elle était toujours seule. Ce qui la combla d'aise. Son cœur à elle aussi s'était mis à battre. Elle sourit.

Lundi. Une pauvre journée. Seulement le photographe. Toi aussi, n'est-ce pas, tu t'es demandé ce que ta maman penserait de notre photographie à tous les trois ?

La boutique du photographe se trouvait au numéro 38 de la Trädgårdsgatan. Mon père avait pris le banal prospectus en noir et blanc du magasin afin de le conserver à tout jamais.

Le photographe ressemblait à Humphrey Bogart. Il avait une bonne tête ; c'était un grand jeune homme, en veston-cravate. Il mit longtemps à les installer, cherchant le bon angle. Mon père tressaillait de jalousie chaque fois que Bogart effleurait le genou de Lili en la priant de s'asseoir légèrement plus à droite, légèrement plus à gauche. Ensuite, satisfait, le photographe disparut derrière son appareil, sous le rideau noir, chipota longuement sur leur port de tête, resurgit de dessous son rideau, alla à mon père, lut un instant le journal sur le verre gauche de ses lunettes, lui demanda de les ôter, et regagna son retranchement. Pendant cinq à six minutes il travailla sa mise au point, puis refit surface. Il revint à mon père et lui parla tout bas à l'oreille.

Mon père devint tout rouge. Bogart, dans un allemand châtié, lui indiquait que même s'il voyait bien, lui le photographe, que mon père était conscient du problème, il n'empêchait que de temps en temps on voyait l'éclat quelque peu inquiétant de ses dents en vipla. En tant qu'homme de l'art, il estimait que le secret de la photo de famille idéale serait que Lili rie largement, mais que mon père ne fasse qu'un sourire. Lui, Bogart, c'était ce qu'il conseillait.

Une demi-heure plus tard, le photographe de la Trädgårdsgatan tirait leurs premières photos à tous les deux.

... Ce soir-là, tu es descendue avec moi pour me raccompagner, tu as tiré la grille, et avant que l'ascenseur ne soit reparti vers le haut, je me suis penché encore une fois...

La seconde nuit, Lili souhaita bonne nuit à mon père devant l'ascenseur. Dans le couloir les infirmières allaient et venaient. Lili reprit l'ascenseur. Déjà en chemise de nuit et peignoir, elle redescendit en hâte pour un dernier bisou. Elle tira la grille. Mon père pressa la tête entre les barreaux peints en blanc, et dans cette posture désespérée tenta de déposer furtivement un baiser sur les lèvres de Lili. Il pressa si fort son visage contre la grille que la trace des barreaux s'imprima sur ses joues. Il resta là, collé, attendant que les pantoufles de Lili aient disparu dans la cage. C'est alors qu'une main toucha son épaule.

Le docteur Svensson, dans sa blouse blanche, était devant lui.

— Vous parlez allemand, n'est-ce pas?

— Je comprends. Et je parle.

— Bien. Il y a une circonstance sur laquelle je voudrais attirer votre attention.

Mon père n'avait aucun doute sur la circonstance à laquelle le médecin-chef faisait allusion. Mais en cet instant d'exception il n'avait aucune envie de discuter avec un spécialiste.

— Tout est clair pour moi, docteur. Mes poumons, pour l'instant...

Svensson l'interrompit :

— Je ne pensais pas à vous.

Mon père poussa un soupir de soulagement. Svensson, comme si de rien n'était, poursuivait :

— Je voulais vous dire d'être extrêmement prudent avec cette petite fille. Ce n'est pas la première venue.

Mon père acquiesça d'un signe de tête véhément. Svensson lui prit le bras et commença à marcher avec lui dans le couloir désert – ils n'étaient que tous les deux.

— Un atroce caprice du destin a fait, voyez-vous, que je me suis trouvé dans le groupe international de médecins présents lors de la libération du camp de femmes de Belsen. Ce jour-là, je voudrais l'oublier. Mais c'est impossible. Nous avions déjà évacué toutes celles dans lesquelles nous avions pu soupçonner le moindre souffle de vie. Ne restaient plus, sur le béton, que les mortes... trois cents corps environ... nus ou en haillons, immobiles... Des corps d'enfants... Des squelettes de vingt kilos...

Svensson fit halte, dans ce couloir désert de l'hôpital militaire, le regard absent. Il avait perdu de son assurance, comme si l'évocation de ce souvenir lui causait une véritable souffrance. Mon père vit avec étonnement le visage du médecin-chef tordu par une étrange grimace. Le monologue de Svensson devint saccadé.

— ... je me suis retourné... des fois que... avais-je la berlue ou bien... ce doigt bougeait-il vraiment? Vous comprenez, Miklós? Comme ça, vous voyez, comme l'ultime battement d'ailes d'une colombe... ou le frémissement d'une feuille, quand le vent s'apaise.

Il leva la main à hauteur de ses yeux, en replia l'index, et d'une voix rauque il ajouta :

— Lili, c'est comme ça que nous l'avons ramenée parmi nous.

*

Mon père, des années plus tard, avait encore froid dans le dos quand il repensait à l'expression de Svensson, à sa main, au tressaillement de son index.

Tout cela, en lui, avait fini par se mélanger à une autre image d'Eksjö : le train sortait de la gare, lâchant ses bouffées de vapeur ; lui-même, cramponné à l'extérieur, sur le marchepied du dernier wagon, agitait la main jusqu'au dernier moment, celui où le train entrait dans la courbe et où le fronton de la gare sortait de son champ de vision. À cet instant il avait éprouvé une joie débordante, le bonheur de ne pas avoir perdu l'image authentique de Lili. Il n'avait qu'à fermer les yeux : cette image ultime s'était gravée en lui.

Sur le quai enneigé et glacé, Lili lui faisait signe elle aussi. Des larmes brillaient dans ses yeux. Et ses doigts... Mon père était convaincu d'avoir vu de près, à hauteur de ses yeux, la main menue, les jolis doigts. De toute évidence, ce n'était pas possible à pareille distance, mais quand même... Il se cramponnait à la portière ouverte, le train prenait de la vitesse, et lui, sous ses paupières, oui, il voyait les doigts de Lili, comme une faible branche sous le souffle du vent.

*

— Prenez soin d'elle ! Aimez-la !

Ce dernier soir, à l'hôpital, Svensson s'était tourné vers mon père :

— Ce serait tellement beau si...

Il ne continua pas. Il se tut de longues minutes. Mon père crut qu'il cherchait le terme allemand adéquat.

— Qu'est-ce qui serait beau ? demanda-t-il enfin.

Svensson réfléchit. Et soudain pour mon père la lumière se fit : ce n'était pas la langue allemande qui l'embarrassait. Le médecin-chef était parvenu à une limite qu'il ne voulait pas franchir. Il ne termina jamais sa phrase, mais soudain, sans crier gare, il serra mon père dans ses bras. Son élan valait tous les discours.

*

Mon père changea de train à Ervalla. Cette fois encore il trouva une place près de la fenêtre. Reflété dans la vitre, en surimpression sur le paysage noyé dans la nuit, son visage fatigué, mal rasé, le regardait.

Mardi déjà je me suis levé de mauvaise humeur : le dernier jour. Comme dimanche soir, nous avons traversé la place du Stadshotell. Je n'ai réussi, mardi, qu'à goûter une ou deux fois, furtivement, le goût de tes lèvres.

Ce mardi soir aussi, leur dernier soir, ils s'installèrent dans les deux fauteuils sous le palmier.

Lili pleurait. Mon père lui prit la main, mais il ne savait quoi lui dire de rassurant. Ensuite Lili parla de sa famille :

— Hier j'ai rêvé de notre appartement. Je voyais nettement comment papa préparait ses valises. Nous étions lundi, le jour poignait à peine. Je savais qu'il allait tout de suite partir. Dans mon rêve je savais que nous allions passer une semaine sans nous voir. N'est-ce pas étrange ?

Elle expliqua le rituel. Elle oubliait qu'elle venait de pleurer, et aussi qu'elle se revoyait dans un pays

165

lointain qu'elle ne pourrait peut-être plus jamais retrouver. Elle racontait avec autant d'enthousiasme que si elle eût évoqué un pique-nique de la veille. Pour son œil d'enfant, c'était comme un puzzle : le lundi à l'aube, Sándor Reich, le représentant en bagages, préparait son assortiment. Dans les deux grandes valises il en fourrait de plus petites, dans celles-ci, d'autres encore plus petites, et finalement les porte-documents et les sacs à main dans une valise d'enfant de couleur rouge. Il était incroyable qu'une telle quantité de marchandises pût tenir dans deux malles-cabine.

Mon père était troublé par l'étroitesse du lien qui unissait Lili à ses parents. Lui, par exemple, n'avait gardé en mémoire qu'un seul instantané de son père. Il ne pouvait décider si cette scène était aussi déterminante parce qu'il l'avait vue une fois ou plusieurs. Peut-être chaque déjeuner dominical se terminait-il de cette façon. Le père de mon père fourre dans son col de chemise le coin d'une serviette de table damassée. Son épaisse chevelure brille de gomina. Son épouse, la mère de mon père, dont l'allure extérieure est désordonnée sur l'image souvenir, porte sa cuiller à la bouche. De la soupe de petits pois, oui, de la soupe de petits pois dans un plat de faïence blanche fume au milieu de la table, des taches de graisse flottent sur le dessus de la soupe jaunâtre. Sur la nappe, une pyramide de pain grillé dans une petite assiette. Mon père voyait tout cela nettement. Il se voyait aussi lui-même, petit garçon, en gilet noir, en face de sa mère. Ensuite le père de mon père, Dieu sait pour quelle raison, se met à hurler, arrache sa serviette de son cou, bondit, et d'un seul mouvement tire sur la nappe qui tombe sur le sol.

C'est cet instant-là que mon père avait gardé en mémoire : les petits pois qui sautillent hors du plat, la soupe jaunâtre qui lui coule sur les genoux, qui le brûle, les morceaux de pain grillé qui pleuvent sur le sol comme un vol d'angelots.

Ce soir-là mon père, serrant la main de Lili, lui raconta aussi cela sous le couvert du palmier.

Lili changea de sujet.

— J'aimerais bien ne plus...

— Ne plus quoi ?

— C'est si affreux à exprimer. Mais je veux devenir autre.

— Autre ?

— Autre que papa et maman.

Judit leur apportait deux tasses de thé. Sans le vouloir elle entendit leur conversation.

— Que veux-tu devenir, ma Lili ?

Lili la regarda, puis regarda mon père. À voix basse mais avec fermeté elle répondit :

— Pas juive !

Peut-être y avait-il dans sa phrase un soupçon d'hostilité.

Judit effaça du bout du doigt une goutte de thé tombée sur la table et du tac au tac répliqua :

— Ce n'est pas une question d'aimer ou de ne pas aimer.

Sur quoi elle se retira, avec raideur, comme si Lili l'avait personnellement offensée.

Mon père, pensif, la suivit du regard.

— Je connais un évêque. Écrivons-lui. Nous sollici-
terons la conversion. Ça te conviendra ?

Mon père, à son habitude, exagérait. Il ne connaissait
aucun évêque. Mais il était sûr que tôt ou tard, s'il cherchait, il en trouverait un. Lili lui caressa la main.

— Tu n'es pas fâché ?

Mon père alla dans le sens du vent.

— J'y pensais moi aussi.

*

Dans le train de nuit qui le ramenait à Avesta, tandis
que les gares défilaient derrière la fenêtre, mon père
réfléchissait à la question et tentait d'y voir clair. Non,
il ne s'était jamais demandé s'il devait changer de religion. Qu'il fût juif, il n'en avait cure. Dès son adolescence, l'Idée, cette foi nouvelle, l'avait si bien pris dans
ses filets qu'il ne restait plus aucune place pour rien
d'ancien. Il décida que si c'était important pour Lili, il
trouverait bien un prêtre. Ou un évêque. Ou le pape lui-
même, le cas échéant.

On avait dépassé Örebro, Hallsberg, Motala. Mon
père, dans son compartiment, écrivait une lettre.

*Tu as vu, n'est-ce pas, ma chérie, ma Lilike, quel
simple soldat je suis, fiancé à jamais à l'idéal qui
s'est éveillé dans tous les fils du peuple pour les
opprimés, pour la liberté. Tu seras ma compagne (tu
le seras, n'est-ce pas ?) dans la vie quotidienne, sois
ma fidèle compagne ici aussi !*

Tu étais une fille de bourgeois : sois désormais une ferme et combative socialiste !

Tu le voudras, n'est-ce pas ? En attendant de pouvoir, comme je l'espère, te revoir à Noël, je compte les jours !

(Dès mon retour à Avesta, je m'occupe de l'évêque.)

Je te prends dans mes bras et je t'embrasse mille fois, Miklós.

11.

À Eksjö, le lendemain du jour où mon père avait repris le train, il y eut un bouleversement. Pour commencer, à la fin du petit déjeuner, que toutes prenaient en commun, le docteur Svensson entra et fit tinter un verre au moyen d'une cuiller. La rumeur cessa, toutes se tournèrent vers lui.

Il parla, non sans nervosité :

— Je vous demande à toutes de ne pas perdre patience et de garder confiance. Je viens d'être informé d'une décision qui va apporter un certain changement dans votre vie... Le ministère suédois de la Santé publique a décidé, avec effet immédiat, de dissoudre notre camp de Smålandsstenar. Les malades et convalescents seront transférés...

Svensson allait poursuivre, mais la vie balaya ce qu'il avait encore à dire. Les jeunes filles, les femmes se levaient de leurs chaises. Certaines, de bonheur, s'embrassaient à grands cris, d'autres, donnant de la voix dans diverses langues, essayaient de s'approcher de

Svensson. Celui-ci avait beau faire tinter son verre, il n'était plus maître de la situation.

... ce matin, au milieu d'un grand remue-ménage, on nous a annoncé que le centre était dissous. Que nous déménagions dans un autre camp situé à plusieurs centaines de kilomètres d'ici, et cela sous peu... Je vais ainsi du moins me retrouver un peu plus près de toi, j'aurai moins à voyager pour aller te voir.

Les trois jeunes Hongroises montèrent en vitesse dans leur chambre pour commencer à faire leurs bagages. Lili s'aperçut du vol immédiatement.

Quand une demi-heure plus tard la commission établit le procès-verbal de l'incident, Lili n'avait plus toute sa tête. Elle sanglotait, sanglotait, on finit par lui faire une piqûre pour la calmer, ce qui la plongea dans une sorte de léger coma. Couchée sur son lit, tantôt sur le ventre, tantôt roulée en boule, elle ne répondait à aucune question.

Sára avait déjà dû expliquer maintes fois ce qui s'était passé.

— Je vous l'ai déjà dit. Il était ouvert.

Elle montrait, dans le coin, l'unique placard de la chambre. Il était encore béant, largement vide, les affaires des filles tenant toutes sur l'étagère du bas.

Un jeune homme à lunettes, blond et d'une blancheur de peau éclatante, traduisait à mi-voix les phrases de Sára à l'intention de la directrice de la LOTTA locale.

Mme Anne-Marie Arvidsson rédigeait le constat. Elle demanda :

— À quoi ressemblait-il, ce tissu ?

Sára caressa le dos de Lili.

— Comment était-il, ma Lili ? Moi, je ne l'ai vu qu'une fois...

Lili, les yeux grands ouverts, fixait le bouleau de l'autre côté de la fenêtre. Sára s'efforça de répondre à sa place :

— Un tissu marron, pour un manteau d'hiver. Pelucheux. Que lui avait donné son cousin.

Le jeune homme à lunettes traduisait à voix basse.

— Cela a pu se produire au moment de l'annonce dans le réfectoire.

Anne-Marie Arvidsson posa son porte-plume.

— Il n'y a encore jamais eu de vol, à l'hôpital ! Je ne sais pas ce qu'il faut faire.

La directrice de la LOTTA frappa du poing sur la table.

— Moi je sais ! Nous le retrouverons ! On vous le rendra.

*

Mon père, de retour au centre, commença par passer au bureau afin d'y signaler sa présence. Il se rendit ensuite à la baraque pour se changer. Il était midi, il savait que tous se trouvaient au réfectoire.

Il le vit aussitôt – et recula. Les deux pieds chaussés de godillots décrivirent encore un demi-cercle au-dessus de la rangée de lits du milieu.

Mon père lâcha sa valise, puis il fit une chose complètement insensée : il ôta ses lunettes et en essuya le verre intact. Quand il les eut remises sur son nez, il fut clair qu'il n'avait pas rêvé. De là où il était, l'un des placards métalliques lui cachait le haut de la baraque. Mais quand il s'avança, il vit également le corps, le pantalon gris et la ceinture à la taille.

Tibi Hirsch !

Il s'était pendu à un crochet, le gros clou recourbé proche du plafonnier. Par terre, au-dessous du corps, il y avait une lettre. Les jambes et les mains de mon père se mirent à trembler, il fut obligé de s'asseoir. Les minutes passaient. Cette lettre, il éprouvait une envie irrésistible de la lire. Il lui fallait surmonter son tremblement et sa répugnance. De là où il s'était assis, il voyait seulement la tache sombre d'un cachet au bas de la feuille de papier. Une lettre officielle !

Il eut un pressentiment. Avant de se lever et d'aller, à contrecœur, sous le corps, il connaissait déjà la teneur du message. Il regarda, vérifia ; oui, bien sûr, il n'eut pas besoin de la ramasser, il put déchiffrer, de sa hauteur, que la dernière lettre reçue par l'électricien monteur radio et aide-photographe était un certificat de décès. L'acte de décès de Mme Tibor Hirsch, née Irma Klein.

Mon père comprit. N'avait-il pas écrit à Lili que la femme de Hirsch avait été abattue à Belsen ? Il l'avait écrit au moment où le serpent géant de la procession triomphale s'était mis en marche et s'emparait de la baraque. Pourquoi avait-il alors refoulé ce qu'il ressentait? Pourquoi ne s'était-il pas précipité vers Hirsch pour le secouer, le réveiller?

Mais quand, oui, quand aurait-il pu le faire?

Peut-être quand Hirsch, dans son lit, s'était dressé sur son séant en brandissant la lettre? Quand il avait crié : «*Él!* Vivante! Ma femme est vivante!» Il aurait fallu se précipiter vers lui, le secouer, lui crier à la figure que non, elle n'est plus en vie, elle est crevée, elles sont trois à l'avoir vue, on l'a abattue, comme un chien enragé, d'un coup de revolver.

Ou bien aurait-il eu le temps de le faire plus tard?

Mais quand? Oui, quand?

Quand Hirsch s'était mis en marche entre les lits en brandissant bien haut, comme un drapeau, le message qu'il venait de recevoir? Quand il faisait d'un simple mot un slogan? À ce moment-là? Quand Harry lui avait emboîté le pas, lui avait mis les mains sur les épaules, et qu'ils avaient commencé à scander, sur l'air des lampions, comme dans une manifestation :

«*Él! Él! Él! Él! Él!* Vivante! Vivante!»

Qu'aurait-il pu faire quand la peur qui leur nouait le ventre à tous venait de s'évanouir, transmuée en la capricieuse ivresse d'un mot répété à l'infini? Comment aurait-il pu arrêter cette éruption volcanique?

«*Él! Él! Él! Él! Él!*»

Aurait-il fallu grimper sur la table, claironner plus fort que le chœur? Qu'aurait-il pu hurler? Lui crier : «Retrouve tes esprits! Revenez à la raison, imbéciles que vous êtes! Comprenez que vous êtes seuls, qu'elles sont mortes, qu'elles se sont envolées en fumée, toutes celles que vous aimiez! Je l'ai vu! Je le sais!»

Nem él! Nem él! Nem él! Nem él! Nem él! Nem él!
Elle n'est pas vivante ! Elle n'est pas vivante !

Ce n'était pas ce qu'il avait fait. Il s'était mis dans la file. Mon père était devenu le onzième anneau du serpent, il avait voulu perdre sa lucidité, croire qu'il était possible de nier l'irrémédiable.

Et maintenant le corps sans vie de Hirsch pendait au crochet.

*

Le soir, quand l'effet immédiat de la piqûre tranquillisante eut disparu, Lili se sentit assez forte pour descendre au bureau avec Sára et y faire la déclaration officielle.

Deux jours plus tard, quand elle reçut la lettre de mon père – lequel, en deux ou trois heures, à Avesta, avait clarifié les démarches alors prescrites, en Suède, en pareille occurrence – Lili avait déjà franchi la première étape du cheminement administratif.

Mais tout deux savaient que Lili, cet hiver-là, n'aurait pas un bon manteau d'hiver.

Ma chère petite Lili, mon unique !... il faut que tu fasses une déclaration à la police, que tu portes plainte contre X pour vol. Il faut écrire une lettre en allemand en trois exemplaires (un pour la directrice, un pour l'Utlännings kommitté, un pour la police), lettre dans laquelle tu indiqueras avec précision le

préjudice : tissu pour manteau d'hiver, trois mètres
et demi, de couleur marron, à rayures, etc.

Des événements plus importants se déroulaient au même moment. Le mardi matin, onze filles, dont trois Hongroises, soignées à l'hôpital d'Eksjö, avaient été emmenées en autobus à la gare de Smålandsstenar. C'était un formidable chambardement et la neige tombait sans discontinuer.

La plupart des réfugiées du centre avaient déjà pris place dans le train, celles qui arrivaient d'Eksjö trimbalaient en hâte leurs balluchons et valises sur le quai boueux. Svensson et les infirmières aux pèlerines noires couraient ici et là le long du train, comme une formation militaire caritative. On s'efforçait de tranquilliser tout le monde. Il y avait beaucoup de larmes, de baisers, de boue. Une musique joyeuse sortait d'un haut-parleur.

Lili, Sára et Judit trouvèrent la voiture dans laquelle leurs compagnes, qu'elles n'avaient pas vues depuis trois mois, avaient pris place. Cris, embrassades. Elles baissèrent ensuite les vitres des fenêtres, se penchèrent au-dehors, envoyèrent des baisers au docteur Svensson. Une infirmière à bicyclette arriva, un gros sac en bandoulière. Elle donnait des petits coups de sonnette, on s'écartait d'un bond pour ne pas se faire renverser. Elle apportait le courrier du jour – ce mardi –, les organisateurs n'avaient rien oublié. Elle avait roulé sa pèlerine au-dessus de ses genoux pour ne pas être gênée en pédalant. Elle descendit de vélo et cria :

— Courrier ! Courrier !

Elle s'arrêta au milieu du quai, lâcha son vélo qui tomba, sortit quelques lettres de sa sacoche et lut les noms des destinataires. Elle était obligée de crier pour couvrir la voix du micro :

— Scwarz, Vári, Benedek, Reich, Tormos, Lehmann, Szabó, Beck...

Anne-Marie Arvidsson, qui s'affairait elle aussi sur le quai de la gare et se sentait coupable envers Lili, leva les yeux en entendant le nom de Reich. Elle demanda la lettre à l'infirmière et au milieu de cette confusion babélienne se mit à la recherche de Lili. Elle courait le long du train, elle pensait lui remettre en mains propres une lettre de mon père et cela l'exaltait. Elle cria elle aussi, répétant plusieurs fois le nom de Lili, mais sa voix d'oiseau se perdit dans le brouhaha.

Tout à coup elle l'aperçut, penchée à la fenêtre d'un compartiment, à quelques mètres d'elle. Lili aussi la vit. Mme Arvidsson qui, le manteau alourdi de boue jusqu'à la hauteur des genoux, essoufflée et le feu aux joues, brandissait une lettre et scandait son nom.

Lili lui cria :

— Anne-Marie ! Anne-Marie !

La femme fut émue que Lili l'eût appelée par son prénom. Elle lui tendit la lettre. Ce faisant elle lui saisit la main et la serra.

— Ce doit être votre ami ! dit-elle à voix basse en riant, signifiant par là qu'elle était du côté de l'amour.

Lili jeta un coup d'œil à l'enveloppe et blêmit. La lettre portait un timbre hongrois, l'adresse avait été tracée d'une petite écriture pointue. Impossible de s'y tromper. Elle s'affaissa à la renverse dans le compartiment, et Sára dut la rattraper pour qu'elle ne tombe pas jusqu'au sol.

— L'écriture de maman, chuchota Lili.

Elle serrait la lettre nerveusement. Sára fut obligée de lui dire :

— Tu vas la froisser. Laisse-moi faire !

Elle essaya de lui retirer l'enveloppe des mains, mais Lili ne voulait pas la lâcher. Judit se pencha à la fenêtre et cria à Svensson, qui passait au galop sur le quai :

— Lili Reich a reçu une lettre de sa mère !

Svensson freina et sa suite aussitôt fit de même. Les infirmières en pèlerine entouraient le médecin-chef comme un vol de corneilles. Avec lui elles grimpèrent dans la voiture.

Dans le minuscule compartiment, quinze personnes au moins se pressaient. Lili n'osait toujours pas décacheter la lettre, elle couvrait l'enveloppe de petits baisers, elle la caressait. Svensson dut l'encourager :

— Eh bien, Lili, ouvrez-la !

Lili leva sur lui un regard mouillé de larmes :

— Je n'ose pas.

Elle prit sa respiration et passa la lettre à Sára.

— Ouvre-la, toi !

Sára n'hésita pas. D'un geste brusque, elle décacheta l'enveloppe. Des feuilles pleines d'une écriture serrée en tombèrent. Elle les tendit à Lili, mais celle-ci refusa d'un signe de tête :

— Lis ! Je t'en prie !

Svensson, assis à côté de Lili, prit sa main entre les siennes. La nouvelle de l'arrivée d'une lettre de Budapest s'était répandue comme une traînée de poudre.

Dans le couloir, sur le quai, une foule s'était rassemblée. Sára, pour répondre à l'attente générale, devait hausser le ton, comme sur une scène. Déclamer. Elle avait conscience de la solennité de l'instant, mais sa voix la trahit. Elle qui se jouait avec facilité des plus difficiles lieder de Schumann, voilà qu'elle lisait d'une voix blanche, saccadée.

— «Ma vie, mon unique, ma chère petite Lilike! Le *Világosság* a publié votre avis de recherche : "Trois jeunes filles hongroises recherchent leurs proches depuis la Suède!"»

Lili voit nettement devant elle le balcon intérieur de la rue Hernád, la porte d'entrée vert épinard, la robe de chambre élimée de sa mère. On sonne. Maman va ouvrir. Bözsi est là devant elle, elle brandit le *Világosság* en criant. Ce qu'elle crie, Lili ne le comprend pas, mais qu'importe. Qu'elle crie ne peut signifier qu'une seule chose. Les muscles de son cou se tendent, du plat de la main elle tape sur le journal, sur la dernière page, où l'on a inséré, encadré, l'avis de recherche en gros caractères. Évident aussi que maman lui arrache le journal des mains, on entend le bruit du papier froissé, elle regarde l'avis de recherche, elle voit le nom, son nom, et tout simplement ses genoux se dérobent sous elle.

Lili entend clairement ce qu'elle dit avant de s'évanouir, ou après :

— J'ai toujours su que notre petite Lilike était maligne et futée.

Dans le compartiment, Sára, passé le premier instant d'émotion, avait retrouvé sa voix : *«Après une année*

*épouvantable, la nouvelle du miracle est arrivée!
Ce que cela signifiait pour moi, je suis incapable de le
dire avec des mots. J'ai seulement rendu grâce à Dieu
d'avoir vécu jusqu'à cet instant.»*

Bözsi se précipite dans le garde-manger en bre-
douillant :

— Du vinaigre, du vinaigre, du vinaigre.

Elle le trouve sur le deuxième rayonnage, arrache
avec les dents le bouchon de liège, le renifle. Elle
retourne en courant auprès de Maman, toujours couchée
près de la porte d'entrée. Vite elle lui asperge le visage
de vinaigre pour qu'elle revienne à elle. Maman tous-
sote, ouvre les yeux. Elle regarde Bözsi, mais tout bas
elle dit à Lili : *«Ton cher papa, malheureusement, n'est
pas encore rentré. Après sa libération, il s'est retrouvé
dans un hôpital, à Wels, en Autriche (en mai), avec une
intoxication alimentaire et depuis lors aucune nouvelle
de lui. J'espère que le bon Dieu lui viendra en aide et
qu'il rentrera pour que nous puissions tous ensemble
nous réjouir d'être en vie.»*

Lili n'était pas sûre de bien distinguer, dans ce que
lisait Sára, les passages dans lesquels elle entendait sans
conteste la voix de sa mère, comme si celle-ci, réelle-
ment présente dans le compartiment sans air, avait
coupé la parole à son amie dans les parties les plus
importantes. Ainsi de ces deux phrases : *«Depuis le
8 juin, depuis que le mari de Relli est revenu d'Auschwitz,
j'habite chez eux, et je resterai ici jusqu'à ce que l'un
d'entre vous soit de retour. Mais rentrez, rentrez, juste
Ciel!»*

L'odeur pénétrante du vinaigre emplit l'appartement. Avec l'aide de Bözsi, maman se relève, marche en titubant jusqu'à l'évier de la cuisine et se passe de l'eau sur le visage. Ensuite elle s'assied sur le tabouret, elle étale le *Világosság* sur ses genoux, elle lit sept fois de suite l'avis de recherche, jusqu'au moment où elle est sûre, tout à fait sûre que jamais de toute sa vie elle n'oubliera ces quelques lignes : «*Je ne sais pas non plus par quoi commencer. Que fais-tu toute la journée ? Que manges-tu ? De quoi as-tu l'air ? Tu es maigre ? Tu as des vêtements ? Nous autres malheureusement nous avons été dépouillés de tout. Du linge que nous avons envoyé en province rien ne nous a été rendu, ni tissu, ni manteaux d'hiver, ni vêtements, en un mot rien du tout. Mais ne te fais pas de souci, ma petite mère...*»

Ce monologue débité d'une traite par exemple, Lili l'entend énoncé par maman. Ce «ma petite mère», c'était maman qui le disait, il n'y avait pas à s'y tromper !... Ma petite mère, ma petite mère, ma petite mère... Mon Dieu, que c'est bon !

Svensson n'avait pas compris un mot de la lettre, mais son visage rayonnait de bonheur et de fierté, comme celui de toutes les jeunes Hongroises qui se trouvaient dans le compartiment. Sára jeta un regard circulaire, avala sa salive et poursuivit : «*Pour t'annoncer une bonne nouvelle : le nouveau piano que ton cher papa t'a acheté pour tes dix-huit ans est là ! Je sais, ma Lilike, que cela te fera plaisir.*»

Maman est assise sur le tabouret. Tout en caressant le journal à la fraîche odeur d'imprimerie, elle rédige en pensée, avec un petit sourire aux lèvres, la lettre qu'elle va tout de suite commencer. Depuis dix mois, elle l'écrit toutes les nuits, elle n'a aucune peine à la retrouver, elle en connaît la moindre virgule, elle en a également vérifié, mille fois, un million de fois, l'orthographe, elle ne va tout de même pas, dans une missive d'une telle importance, commettre des fautes stupides. Elle marmonne, elle chantonne. «*Ma chérie qui es toute ma vie, fais traiter aux rayons ultraviolets tes mains, tes jambes, et même ta tête, car je pense que tes beaux cheveux ondulés se sont peut-être éclaircis à cause de la grande carence en vitamines, et peut-être as-tu eu le typhus. Bref, ne prends pas cela à la légère, ma petite mère. Je voudrais que quand tu rentreras à la maison, avec l'aide de Dieu, tu sois aussi rayonnante que par le passé.*»

Quelqu'un, peut-être l'une des infirmières à pèlerine de l'état-major de Svensson, courut dire au chef de gare de ne pas donner le signal du départ tant que le médecin-chef était à bord. Svensson ne bougeait pas, il serrait la main de Lili. Dans le compartiment, les corps des jeunes filles se pressaient les uns contre les autres, les visages s'illuminaient. La voix de Sára, par la fenêtre ouverte, portait jusqu'au bout du quai désormais désert : «*Aucune nouvelle du pauvre Gyuri, les Kárpáti sont en vie tous les quatre, Bandi Horn serait prisonnier en Russie. Zsuzsi n'est pas mentionnée dans l'avis de recherche, que sais-tu d'elle, ma chérie, ma belle petite mère, n'êtes-vous pas parties ensemble ?*»

Lili eut une boule en travers de la gorge. Zsuzsi, sa cousine, était partie comme ça, légère comme un papillon, le sourire aux lèvres, et c'était le corps meurtri et infesté de millions de poux, dans la puanteur d'un des blocks du Lager, alors qu'elles gisaient sur le sol, serrées dans les bras l'une de l'autre... Quand était-elle morte ? À quel moment ? Cela, Lili n'en parlerait jamais.

C'est comme si maman, dans la cuisine et l'odeur du vinaigre, sentait qu'elle s'égare en terrain miné. Elle se tait, on entend le bruit léger d'une goutte d'eau qui tombe du robinet. Puis elle regarde Bözsi et se met à pleurer. Bözsi la prend dans ses bras, et ensemble elles pleurent, elles pleurent.

Et maman, Lili l'entend nettement, cachant sa tête au creux de l'épaule de Bözsi, dit entre deux sanglots : «*Tout ce que je demande, c'est de pouvoir vous serrer tous contre moi, je n'attends rien d'autre de la vie, seulement ça, je ne désire rien d'autre. Nous t'attendons, et je t'embrasse des millions de fois.*

Ta maman qui t'aime à la folie.»

Lili était presque tombée en transe, elle ne se rappelait même plus à quel moment Svensson et sa suite étaient sortis du compartiment. Avant de descendre du train, le médecin-chef et les infirmières avaient dû rituellement la serrer dans leurs bras, lui faire la bise. Et ensuite rester plantés là, sur le quai découvert, au milieu des flocons de neige, comme un groupe de statues, jusqu'au moment où le train, dans la courbe, avait disparu à leurs yeux.

Ma chère, très chère petite Lilike, mon unique !
Je ne sais comment te le dire mais je suis infiniment heureux de cette nouvelle ! Je le savais, oui, je

le savais que la lettre de ta maman arriverait cette semaine! Je t'aime de plus en plus, de jour en jour, de minute en minute! Tu es si gentille et si bonne! Et moi un si vilain garnement! Mais tu m'aideras, n'est-ce pas, à me corriger?

12.

Mon père disparut un matin du camp d'Avesta. Il avait franchi la grille, mais avant midi personne n'avait remarqué son absence.

On commença à le chercher. D'abord Harry et Frida qui avaient l'habitude de le voir passer à la conciergerie, avant le déjeuner, pour acheter ses deux cigarettes de l'après-midi. Ne le voyant pas, Harry demanda à Jakobovits où et quand il l'avait vu pour la dernière fois. À une heure, Lindholm fut informé que son patient préféré s'était évaporé. On pensa alors aux bicyclettes, mais aucune ne manquait à l'appel. Quand on vit qu'il n'était pas là non plus pour le déjeuner, on commença à s'inquiéter pour de bon.

Lindholm envoya quelqu'un reconnaître en auto le trajet menant du camp à la ville, pour le cas où mon père serait allé à la poste et aurait eu un malaise en chemin. Entre-temps il téléphona à tous les endroits où il aurait pu théoriquement passer : la poste centrale, la pâtisserie, la gare. Mais on ne l'avait vu nulle part ce jour-là.

En fin d'après-midi, on prévint la police, et on interdit les sorties.

Tous firent le lien entre sa disparition et le suicide de Tibor Hirsch. Mon père l'avait trouvé, il était présent quand on avait coupé la corde pour le descendre, après quoi il avait passé des jours entiers assis sur son lit sans dire un mot, inconsolable. Plus tard Harry suggéra qu'il avait pu vouloir se cacher pour éviter la fête de Noël qui approchait. On en parlait beaucoup, bien que nombreux fussent ceux qui, pour des raisons religieuses, préféraient l'ignorer. Mais d'après Grieger, mon père était socialiste, Noël ne l'intéressait pas, il était exclu qu'un homme comme lui ait été touché par une quelconque émotion familiale en ce domaine.

Márta, l'infirmière en chef, se rendit dans la baraque. Elle mit sur la sellette chacun séparément et elle hésita longuement à fouiller le coin de mon père – peu s'en fallut qu'elle ne passât au crible toute sa correspondance. Il la rangeait, classée, dans une boîte en carton. S'y alignaient, dans un ordre tout militaire, quelque trois cents lettres, dont celles de Lili attachées ensemble par un ruban de soie jaune. Márta souleva le carton, mais résista à la tentation. Elle estima qu'il était encore trop tôt, elle lui accorda encore une nuit.

Mon père, au même moment, cheminait à pied dans la forêt, à sept kilomètres du camp. À pas mesurés, réguliers, un pas de promenade. Il réfléchissait. Il ne parvenait pas à s'expliquer pourquoi ce matin-là il avait été pris de ce désespoir et de cette angoisse. Quelle pouvait en être l'insolite raison ?

Cette matinée ne différait en rien des autres. À l'aube, la fièvre. Ensuite, le petit déjeuner. Il avait écrit sa lettre à Lili. Il avait fait une partie d'échecs avec Litzmann, puis s'était rendu dans le secteur hospitalier, pour parler de la visite de Lili prévue pour Noël, et pour que Lindholm l'examine rapidement.

C'était peut-être à cause de cela. À cause du regard indifférent avec lequel Lindholm l'avait laissé partir. Il lui avait ausculté les poumons et il avait fait ce geste. Ce geste fataliste !

Mon père s'arrêta dans la forêt de sapins. Le vent murmurait doucement. Soudain il comprit : c'était ce geste distrait de Lindholm qui avait tout mis en branle, comme la poussée d'un premier domino. Il était sorti du bâtiment, et son cœur s'était serré. Il n'avait jamais cru à ce stupide diagnostic. Il l'avait balayé comme une erreur. Cause toujours, mon lapin ; lui il sait ce qu'il sait !

Mais ce matin-là l'imperceptible mouvement du poignet de Lindholm l'avait atteint comme un coup à l'estomac. Il lui avait bloqué la respiration. Il allait mourir ! Il allait disparaître, comme Hirsch ! On viderait son placard, on referait son lit pour un autre. Et point final.

C'est ainsi qu'il était parti. Qu'il était sorti du camp en titubant, qu'il avait marché jusqu'au carrefour, et là, au croisement, il avait tourné non pas à gauche pour aller vers la ville, mais à droite, en direction de la forêt. Il allait rarement de ce côté-là. Il avait d'abord emprunté la route bitumée, mais ensuite elle s'arrêtait, un petit sentier la prolongeait, puis le sentier aussi se réduisait, ne restait qu'une sente étroite, peut-être la passée d'un animal sauvage. Il la suivit. Elle s'élargit et déboucha sur une vaste clairière enneigée.

À partir de là, il s'égara bel et bien. Il n'était pas bouleversé pour autant. Il faisait bon marcher, il éprouvait même un certain plaisir à copiner avec la mort. La grande faucheuse ! Il allait crever, et puis après ! Il avait vécu, il avait aimé, rien de plus. Et maintenant il allait disparaître, comme la bête sauvage[1]. Il se récita des poèmes. Mentalement d'abord, puis à mi-voix, puis à tue-tête. Il allait, entre des sapins qui montaient jusqu'au ciel, déclamant toute la poésie du monde, Attila József, Heine Baudelaire.

Tard dans l'après-midi, après une quinte de toux, il se prit en pitié. Il commençait à avoir froid, ses godillots s'étaient percés, et il était si fatigué qu'il dut s'asseoir sur une souche. Il ne s'était pas précisément apaisé, mais il ne voulait pas mourir gelé. Il repartit en direction du nord. Il n'en était pas tout à fait sûr, mais il avait l'impression que le camp se situait de ce côté-là.

*

À neuf heures du soir, Lindholm appela au téléphone son confrère Svensson à Eksjö. Il ignorait que depuis deux jours le camp de Smålandsstenar avait été transféré à Berga. Svensson fut étonné d'apprendre la disparition de mon père, il ne lui trouva pas d'explication, mais à toute fins utiles il indiqua le numéro de téléphone du camp de Berga. Lindholm attendit jusqu'à

---

1. Allusion à l'un des derniers poèmes d'Attila József.

onze heures, mais mon père ne reparaissant pas il décida d'appeler cette jeune fille hongroise qui était sans doute la personne qui en savait le plus long sur lui.

Pour je ne sais quelle raison il téléphonait de la conciergerie, peut-être parce qu'il pouvait garder un œil sur la route par laquelle il pensait que mon père pouvait survenir à tout instant.

*

Les filles étaient depuis deux jours au camp de Berga. On les avait logées elles aussi, comme les hommes du camp d'Avesta, dans une longue baraque surchauffée. Elles étaient déjà couchées quand on vint faire savoir que Lili était attendue dans le bâtiment principal, au téléphone. Elle sauta au bas de son lit, et jeta un manteau sur son dos. Sára lui cria quelque chose, craignant le pire ; elle enfila elle aussi ses brodequins, et l'accompagna.

Ce fut au moment même où il apercevait mon père – qui dans le virage se traînait avec une lenteur d'escargot en direction de la barrière – que Lindholm entendit dans l'écouteur, prononcé d'une petite voix hésitante, le «allô» apeuré de Lili.

— Lili ? Je vous passe Miklós.

Il avait crié cela dans le téléphone bien qu'il estimât qu'il faudrait bien cinq minutes à mon père pour arriver jusqu'à la conciergerie.

— Ne quittez pas ! Il arrive !

*

Mon père avait bien cru ne jamais retrouver son chemin. Ayant décidé de ne pas choisir la mort par le froid, et suivant à rebours ses pas dans la neige, il était reparti vers le nord, mais l'incertitude n'avait pas tardé à s'emparer de lui. Il s'aperçut qu'il tournait en rond. Le motif de ses semelles dans la neige était devenu flou, puis double, et à un moment – mais il n'en était pas absolument sûr – il avait suivi les traces d'un ours. Il fut pris d'effroi. Par chance il retrouva ses propres traces.

Mais il ne sut que faire quand celles-ci, inopinément, s'interrompirent au milieu d'un sentier. Comme si des ailes avaient soulevé le porteur de chaussures. Un vrai tour de passe-passe.

Le soleil s'était couché, le froid était désespérant. Mon père avançait à grand-peine, les pieds meurtris, le sang battant dans ses tempes, toussant sans discontinuer. Un mince croissant de lune éclairait la forêt. Il tombait souvent à genoux, dans la neige molle et instable. Il avait perdu tout espoir. Mais il savait qu'il lui était interdit de s'arrêter. Requérant ses dernières forces, il se concentrait sur sa marche – une, deux, une, deux. Pourtant au fond de lui-même il avait déjà renoncé. Il lui sembla entendre le ricanement d'un animal, un hululement peut-être, c'est ce qu'il supposa, mais il n'était pas sûr qu'en Suède il y eût des hiboux en hiver. «Le hibou hulule à la mort», c'était un bon vers, le premier d'un poème, mais quand pourrait-il le coucher noir sur blanc? Jamais, jamais plus[1].

---

1. Allusion au *Corbeau* d'Edgar Poe, traduit en hongrois par Mihály Babits.

Soudain, il aperçut la conciergerie, la barrière et, derrière la grille de la fenêtre, Lindholm, le combiné à la main. Rêvait-il?

Il mit une bonne dizaine de minutes à couvrir les cinquante derniers mètres. Il entra dans la conciergerie. Lindholm le regarda, lui fourra le combiné dans la main.

— Lili Reich. Vous voulez bien lui parler, Miklós?

Lili ne savait que penser du silence qui avait précédé. Après que l'inconnu qui appelait d'Avesta l'eut plusieurs fois rassurée en lui disant qu'il allait immédiatement lui passer mon père, elle s'était dit qu'il y avait peut-être un problème sur la ligne. Le combiné grésillait, chuintait.

Au bout d'un long moment elle entendit la voix mourante de mon père.

— Oui?

— Tu vas bien?

Qu'aurait-il pu répondre?

— Oui. Très bien.

Lili fut rassurée.

— Nous autres, nous avons pris nos quartiers, imagine!

— Et alors?

— Tu n'as pas idée! C'est épouvantable! Tout simplement épouvantable! Je ne voulais pas l'écrire! J'ai tort de me plaindre?

Le froid avait engourdi les muscles autour de la bouche de mon père. Il pouvait à peine articuler.

— Non, ça ne fait rien.

Il voulait gagner du temps, de ses doigts raidis il essayait de se masser le visage. Lindholm aussi le gênait. Il était si près que mon père devait s'écarter pour ne pas le toucher.

— Comment est-ce ? Décris-moi..., demanda-t-il enfin.

— Des baraques en bois, des chemins cahoteux, affreux... La nuit, je n'ai pas pu dormir à cause du froid. Ce matin je me suis levée avec un mal de gorge, j'avais de la fièvre.

— Oui. Je comprends.

— Dans le baraquement, nous n'avons pas un seul coin où nous asseoir. Ni chaises ni table. Toute la journée nous ne faisons que traîner dans la *Lagerstrasse*, comme des chiens qu'on jette à la rue. Qu'en dis-tu ?

— Je comprends.

Mon père se sentait vide. Il aurait fait bon s'étendre et fermer les yeux.

Lili sentit à sa voix qu'il n'était pas dans sa forme habituelle. En général, il était enthousiaste, actif, il ne la laissait pas placer un mot. À présent le silence était formidablement épais. Elle fit une nouvelle tentative :

— Depuis ce matin, je suis de nouveau nerveuse et de mauvaise humeur ! J'ai surtout envie de pleurer. Je ne trouve pas ma place. C'est fou ce que j'ai le mal du pays !

— Je comprends.

Lili était troublée. La voix de mon père était glaciale. Presque hostile. Tous deux se turent un instant.

Hier... au téléphone, c'était affreux – je n'arrivais pas à parler comme il faut. Ce que je voulais dire, c'est que je t'aime infiniment, et que je sens les

choses avec toi. Excuse-moi si je ne te l'ai pas dit,
mais c'est ce que je sentais... Plus que quelques jours
et je te verrai !

Lili murmura encore dans le combiné :
— Dans ce cas...
Mais mon père ne trouvait rien à dire, sinon ces deux
mots, ces trois syllabes. Il les répétait comme un perro-
quet :
— Je comprends, je comprends.
— Tu vas bien ?
— Oui.
Lili bredouilla :
— Je voudrais que tu écrives à maman, que tu lui
dises tout à propos de nous...
Lindholm vit que mon père désirait seulement dor-
mir, rêver.
— Bien. Je n'y manquerai pas.
Nouveau silence.

... hier quand j'ai posé le téléphone, j'ai eu une
drôle d'impression... comme une douche froide. Ta
voix me paraissait si glaciale, si étrangère, que je
n'ai pas pu m'empêcher de penser soudain que peut-
être tu ne m'aimais plus ?

Un bruit sec. La ligne est en dérangement. Lili était
pâle. D'une pâleur de mort. Sára lui prit le bras, elles se
dirigèrent vers la porte.
— Sa voix était bizarre. Il a dû se passer quelque
chose.

Sára croyait comprendre.

— Son ami qui s'est suicidé. C'est à cause de ça. Il a tellement de chagrin...

Sans se lâcher le bras, elles regagnèrent à tâtons la baraque. Lili ne ferma pas l'œil de la nuit.

13.

Le lendemain une soirée dansante fut organisée à l'occasion de l'ouverture du camp. L'espèce de hangar que l'on appelait par dérision la salle à manger accueillit un orchestre. Trois instruments : piano, batterie et saxophone. À son répertoire : de la musique légère suédoise.

Quelques filles dansaient; peu leur importait qu'il n'y eût d'hommes, dans la salle, que les trois musiciens. Les autres avaient pris place autour de la table dressée et décorée pour l'occasion; elles regardaient bêtement devant elles. Il y avait de la bière, des brioches, des saucisses.

Lili, Sára et Judit s'étaient installées ensemble, à l'écart. Deux hommes entrèrent, posèrent des questions à voix basse, puis se dirigèrent vers elles. L'un d'eux ôta son chapeau.

— Vous êtes bien Lili Reich?

Lili resta assise. L'homme lui avait adressé la parole en suédois, elle répondit en allemand :

— Oui, c'est moi.

L'homme tira de sa poche une mince bande de tissu. Lui aussi passa à l'allemand :

— Vous le reconnaissez ?

Lili lui arracha des mains le morceau de tissu.

— Oui !

Elle le caressa, la peluche chatouilla la pulpe de ses doigts. Elle le passa à Sára pour qu'elle le tâte à son tour.

— Vérifie toi aussi. C'est mon tissu de manteau, n'est-ce pas ?

L'autre homme enleva lui aussi son chapeau.

— Écoutez-moi, madame. Je viens d'Eksjö, je suis le commissaire du district de Svynka. M. Berg est le concierge de l'hôpital.

Berg acquiesça et prit le relais :

— En perquisitionnant l'hôpital d'Eksjö nous avons retrouvé les trois mètres et demi de tissu, large de quatre-vingt-dix centimètres, dont vous avez signalé la disparition. Dans un couloir, au bas d'une armoire contenant du matériel médical. Vous me suivez, madame ?

— Oui.

— Bien. Le tissu était découpé en fines bandes de quelques centimètres.

Il reprit le fragment et le montra. Lili était stupéfaite. L'orchestre jouait une musique lente. Sur la piste, les danseuses, émues, se balançaient. Lili voulait être sûre d'avoir bien compris les mots allemands. Elle se tourna vers Sára :

— Ai-je bien entendu ? On l'a découpé ? En petits morceaux ?

Sára, stupéfaite, acquiesça. Le commissaire ajouta :

— Nous pensons qu'on n'a pas voulu voler ce tissu. Seulement le détruire.

L'orchestre enchaîna sur une polka fraîche et rapide. Deux couples seulement continuaient à danser. Une danse endiablée. Lili, pétrifiée, fixait le ruban de tissu qui pendouillait lamentablement entre les doigts du colossal concierge de l'hôpital militaire.

— Il serait difficile de déterminer aujourd'hui qui l'a fait. Mais si vous le souhaitez, madame, nous interrogerons toutes vos collègues.

D'un geste il montra la salle. Le commissaire poursuivit :

— Ce serait un gros travail, mais si vous le souhaitez.

Lili ne put protester que de la main. Elle était incapable de proférer le moindre son, les mots coincés dans la gorge. Incapable aussi de détourner les yeux de ce restant du manteau qu'elle ne pourrait jamais faire faire – ce petit morceau de quatre centimètres qui continuait à danser entre le pouce et l'index du concierge.

*

Les trois jeunes filles, dans le noir, arpentaient résolument l'allée séparant les baraques. Elles cachaient leurs mains dans les poches de leurs blousons matelassés. Un vent glacial soufflait et sifflait. Soudain Lili s'arrêta, marmonnant :

— Qui me déteste à ce point ?

Sára croyait avoir une explication :

— On envie ton bonheur.

Judit laissa libre cours à son indignation :

— Moi, à ta place, je n'en serais pas restée là. Qu'on fasse une enquête et qu'on démasque la coupable ! Je voudrais la regarder droit dans les yeux !

Sára haussa les épaules.

— Comment la démasquer ?

— Est-ce que je sais ? En parlant avec les filles. En fouillant leurs affaires.

Lili eut un rire amer.

— On chercherait une paire de ciseaux ? Un couteau ?

Judit insista :

— Je ne sais pas, moi ! Des ciseaux, un couteau, n'importe quoi ! Peut-être un morceau de tissu !

Elles reprirent leur marche. Sára imagina :

— Bien sûr ! Elle le porte sur elle ! Sur son cœur ! Ma petite Judit, tu es terriblement naïve.

— Je dis seulement qu'il faut s'en occuper. Il ne faut pas laisser les choses s'endormir. C'est mon avis.

Lili observait devant elle le chemin malpropre et glacé.

— Je ne veux pas savoir. Que pourrais-je lui dire ?

Judit dans son impitoyable soif de vengeance siffla :

— Ce qu'il faut. Lui cracher à la figure.

Lili, bien qu'elle ne fût pas aussi sûre d'elle que cela, se montra magnanime.

— Moi ? Et puis quoi ? Elle me ferait pitié.

*

Lindholm ne demanda pas à mon père où il était allé ni pourquoi il avait disparu pendant toute cette affreusement longue journée. Il lui prescrivit un bain très chaud et lui administra un médicament pour faire baisser la fièvre. Trois jours plus tard, il eut le sentiment qu'il était de son devoir de l'informer personnellement de son irréversible décision. Lindholm et mon père étaient assis sur le divan, comme deux bons amis.

— Je ne l'ignore pas, Miklós, la pilule sera amère, mais je ne peux pas donner mon accord à ce que votre cousine vienne vous rendre visite pour Noël.

— Et pour quelle raison?

— Nous n'avons pas de place. Tout est plein. Mais ce n'est que l'une des deux raisons.

— Quelle est l'autre?

— La dernière fois, je vous ai permis de vous dire au revoir. Vous vous en souvenez? Même si vous étiez en bonne santé, ce qui n'est pas le cas, je ne serais pas d'accord pour que des femmes viennent en visite dans un camp d'hommes. Vous qui êtes un amoureux de la littérature, vous devriez le comprendre.

— Comprendre quoi?

— Un jour vous avez mentionné *La Montagne magique*. La présence physique, comment dirais-je... surexcite. C'est dangereux.

Mon père fonça vers la porte. La décision de Lindholm paraissait irrémédiable. Que s'était-il passé pendant ces trois jours? Comment avait-il pu perdre la sereine et secrète sympathie du médecin-chef? Mon père cherchait désespérément une stratégie de secours pour tailler une brèche dans la détermination de Lindholm. La voie officielle ! Il ne l'avait pas encore essayée. Saisissant la poignée de la porte, il se retourna.

— Je vous demanderai, docteur, de me préciser cela par écrit.

— Voyons, Miklós, nos relations...

Mon père poursuivit d'un ton menaçant :

— Nos relations ne m'intéressent pas. Je veux un document écrit. En trois exemplaires. Je désire l'envoyer à de hautes autorités !

Lindholm se leva, cria :

— Allez au diable !

— Non, pas au diable, mais à l'ambassade de Hongrie ! Vous portez atteinte à mes droits ! Il ne vous appartient pas de faire obstacle aux visites familiales ! Votre opinion, je vous demande de me la donner par écrit !

Personne n'avait encore parlé à Lindholm sur ce ton. Il était interloqué. Un long moment mon père et lui se regardèrent en chiens de faïence. Puis, se contenant, le médecin dit seulement :

— Sortez de mon cabinet !

Mon père lui tourna le dos et sortit en claquant la porte.

En enfilant le long couloir, il repensa, avec un sang-froid qui le surprit lui-même, à ce qui venait de se passer. De quoi s'agissait-il? Un médecin entravait sa liberté de mouvement. C'était un bon argument, de poids, et en gros c'était vrai. D'un autre côté ce pays l'avait accueilli. Le soignait. Lindholm pouvait à juste titre objecter que cette atteinte à sa liberté avait une justification médicale. Ce à quoi lui-même pouvait répliquer que ce n'était pas l'État suédois mais la Croix-

Rouge internationale qui payait la facture. Autrement dit qu'il n'avait ni merci à dire ni comptes à rendre à la LOTTA. S'il voulait, disons, passer la nuit de Noël dans un night-club de Stockholm, qui pourrait l'en empêcher?

Il était troublé. En fait, ici, qui était-il? Un malade? Un réfugié? Un transfuge? Un visiteur? Son statut, oui, son statut aurait demandé à être précisé. Mais à qui était-ce de le faire? Au gouvernement suédois? À l'ambassade de Hongrie? À l'hôpital? À Lindholm?

Il était déjà loin dans le couloir quand une porte s'ouvrit derrière lui. Le médecin-chef lui cria :

— Miklós! Revenez! Il faut que nous parlions!

Mais mon père n'avait aucune envie de discuter.

Ma chère, mon unique, ma petite Lilike! Je suis pour l'heure diablement furieux et désespéré. Mais je ne baisse pas les bras, je vais trouver quelque chose!

*

La cantine, l'après-midi, bâillait d'ennui. C'était le seul local du camp de Berga qui fût ouvert à toutes. Les filles n'avaient guère le choix. Ou bien elles restaient couchées sur leurs lits dans le baraquement, ou bien elles se promenaient dans le vent cinglant, ou encore, assises dans cette halle encombrée de tables, elles attendaient le repas du soir.

Cet après-midi-là Lili avait décidé d'essayer de lire le livre de Bebel. Mon père y avait fait allusion dans nombre de ses lettres, et cela faisait déjà deux mois qu'il le lui avait envoyé, un volume à la reliure souple, agréable au toucher. Lili le rangeait soigneusement, ici et là, pour ne pas l'avoir toujours sous les yeux. La couverture n'inspirait guère confiance. On y voyait le dessin d'un visage de femme. Cette femme braquait sur le lecteur un regard dur et hardi, aux pupilles dilatées, aux yeux exorbités, comme si elle était atteinte de la maladie de Basedow, et le vent emmêlait sa longue chevelure.

Ce livre, Lili passa dix minutes à le lire, de plus en plus furieuse. Au bout de quatre pages, elle se fâcha tout rouge, le referma d'un geste sec et le lança à l'autre bout de la pièce.

— Impossible de lire ça !

Sára tricotait un pull-over avec le coton au vilain coloris que mon père leur avait envoyé.

— Qu'est-ce qui t'agace ?

— Bebel. Déjà que son titre m'énerve ! Comment peut-on donner un titre pareil ! *La Femme et le Socialisme* ! Mais dedans c'est encore pire !

Sára posa son tricot. Elle alla ramasser le livre, l'épousseta, revint vers la table et le tendit à Lili.

— Un peu sec, c'est vrai. Mais si tu poursuis ta lecture...

— Je ne peux pas continuer ! Ça m'ennuie ! Je préfère ne jamais rien lire ! Il m'ennuie, tu comprends ?

— Pourtant tu y trouverais beaucoup à apprendre. Ne serait-ce que les idées de Miklós...

— Ses idées, je les connais. Ce livre est illisible.

Sára soupira, et reprit son tricot.

Mon cher petit Miklós! Je te renvoie sous peu le livre de Bebel. Les conditions ici ne s'y prêtent pas, et je n'ai ni les nerfs ni la patience pour lire un tel livre.

Une lumière grise filtrait à travers les vitres empoussiérées des énormes fenêtres de la cantine. Judit jeta un coup d'œil à l'intérieur, s'assurant que Lili et Sára s'y trouvaient bien, et qu'elles étaient ensemble. Même ainsi, en conversation, elles ne faisaient qu'un! Auprès d'elles, Judit se sentait souvent de trop, mais jamais encore elle n'avait ressenti aussi cruellement sa solitude. En serait-il toujours ainsi? N'aurait-elle jamais personne à elle? Un homme ne viendrait pas, elle n'y comptait plus. Mais n'aurait-elle jamais une amie, une vraie, qui fût son amie pour toujours? Devrait-elle toujours s'adapter? S'humilier à mendier une caresse? Rendre grâce pour un mot gentil, pour un conseil, pour un coin où se nicher? Et qui était-elle donc, cette Lili Reich?

Elle tourna le dos à la fenêtre et se dirigea en hâte vers l'une des baraques. On leur avait installé un dortoir pour douze, avec des lits de fer. Les armoires métalliques en occupaient le premier plan. Judit sortit une clef, ouvrit l'une des armoires, en descendit une valise jaune, ornée d'une serrure en cuivre. Son cousin de Boston, le seul membre de sa famille demeuré en vie, la lui avait envoyée en août, bourrée de conserves de poisson. Sprats, maquereaux et harengs avaient été mangés, et on en avait distribué. De temps en temps elle la sortait, cette valise, elle la caressait, elle imaginait qu'elle allait bientôt se promener avec elle dans la grand-rue de Debrecen où elle avait habité avant la guerre. Mais peut-être ne retournerait-elle jamais à Debrecen. Là-bas, qui lui restait-il? Elle allait peut-être s'installer ici, en Suède. Elle y trouverait du travail, un mari, un foyer. Qui sait? Le sort a parfois des bontés envers ceux qui s'accrochent.

Elle était seule dans la baraque. De la poche latérale de la valise jaune elle sortit une bourse. C'était dans cette bourse qu'elle le cachait. Elle le sortit, le serra dans sa paume. Elle était incapable d'expliquer pourquoi elle l'avait caché. Et pourquoi l'avait-elle conservé? À tout moment ils auraient pu le trouver. Bien que cela, à vrai dire, elle n'en eût pas peur. Qui oserait fouiller sa valise? À moins que... À moins que ces deux types d'Eksjö à la mine patibulaire ne prétendent tirer l'affaire au clair. Qui sait? Mieux valait le faire disparaître.

Le tissu lui brûlait la main. Le précieux tissu pelucheux qu'elle avait mis en charpie avec une telle volupté, une certaine nuit, à Eksjö. Elle avait ses raisons. Personne ne pouvait la condamner! Personne!

Judit courut dans les toilettes. Elle referma la porte sur elle. En guise d'adieu, elle renifla le petit morceau de tissu, puis elle le jeta dans la cuvette. Elle soupira, tira la chaîne. L'eau de la chasse dégorgea sa cataracte.

14.

Lindholm passa quelques nuits sans sommeil avant de prendre la décision de téléphoner à Lili. Il avait fait part de ses doutes à Márta. La naine avait pris à cœur l'escapade de mon père dans la forêt entourant l'hôpital. Elle pensait elle aussi que les fils de l'écheveau s'étaient embrouillés, qu'un petit entretien permettrait d'y voir clair et ne ferait de mal à personne. Lindholm lui demanda d'écouter à côté de lui en tant qu'observatrice indépendante et de lui faire signe si elle estimait qu'il allait trop loin.

Passé les premiers arpèges obligatoires, il en vint à l'essentiel :

— La fugue de Miklós n'est d'un côté qu'une banale escapade. De l'autre...

À la conciergerie du camp de Berga, Lili pressait le combiné contre son oreille. Cette fois, elle était seule. Elle avait cru que c'était mon père qui l'appelait. Tout heureuse, elle avait traversé en courant la moitié du camp, et depuis qu'elle entendait la voix de Lindholm, les battements de son cœur tardaient à s'apaiser. Elle avait hâte qu'il en vînt enfin au véritable motif de son appel.

— ... de l'autre ?

— De l'autre, il s'agit de ne plus se cacher la vérité. Cela va faire cinq mois que je le soigne, ma chère Lili. Pas une fois, vous comprenez, pas une seule fois il n'a regardé sa maladie en face. En face, il faut prendre cela au sens propre. Je m'apprête à vous dire une chose cruelle, ma chère Lili. Êtes-vous prête à l'entendre ?

— Je suis prête à tout. Et à rien, docteur. Mais dites toujours.

Lindholm, carré dans son confortable fauteuil de cuir, inspira profondément.

— Miklós ne peut plus ne pas affronter la mort. Depuis que je le soigne, il a fallu quatre fois lui drainer la plèvre. Nous savons traiter sa maladie, mais pas la guérir. Lui, par héroïsme mal compris, a jusqu'à présent voulu ignorer le diagnostic. Un déni de maladie, comme nous disons dans notre jargon. Vous êtes toujours là, Lili ?

— Je suis là.

— En se perdant très consciemment dans la forêt, il a laissé pour la première fois la réalité faire irruption dans sa tour d'ivoire. Nous sommes arrivés à un tournant. Vous êtes toujours là, Lili ?

— Oui, je suis là.

— On peut s'attendre à des effets traumatiques. J'aimerais que vous m'aidiez, ma chère Lili. La solution n'est pas de conforter Miklós dans ses absurdes aspirations. Vous êtes toujours là, ma chère Lili ?

— Je suis là.

— Ce mariage qu'il s'est mis en tête de contracter avec vous n'est pas seulement une absurdité, une folie, au point où nous en sommes il ne peut être en outre que pernicieux. Miklós ne peut pas avoir un pied dans le réel et un autre dans le royaume de l'imaginaire. Savez-vous, chère Lili, ce qu'est en fait, symboliquement, pour Miklós, son escapade ?

— Symboliquement ?

— Un appel de détresse. Adressé à moi, son médecin, et à vous, chère Lili, à vous qui l'aimez.

— Qu'attend-il de moi ?

— Il faudrait mettre un terme à la comédie. En lui parlant franchement. Affectueusement. Sans le blesser.

Pendant toute la conversation Lili était restée debout adossée au mur de la conciergerie. D'un coup de reins elle s'en détacha.

— Écoutez-moi bien, docteur. Je respecte votre exceptionnelle compétence professionnelle. Votre riche expérience. Les progrès mondialement reconnus de la science médicale. Ses pilules, ses rayons X, ses expectorants, ses seringues. Tout cela, je le respecte ! Mais je vous en supplie, laissez-nous en paix ! Laissez-nous rêver ! Je vous en supplie à genoux, permettez-nous de ne plus nous soucier de la science ! Je vous implore, docteur, laissez-nous guérir ! Vous êtes toujours là ?

Lindholm avait fait signe à Márta de venir à côté de lui, ensemble ils avaient écouté la profession de foi passionnée de Lili. Avec tristesse, et non sans effort, il répondit :

— Je suis là.

*

Deux jours avant Noël 1945 mon père se décida à tenter une aventure désespérée. Il convainquit Harry de se rendre avec lui à Berga, sans autorisation ni argent. Il traça des plans sur la comète et rejeta finalement la voie officielle. Un combat obscur et sans issue l'aurait attendu dans le dédale d'une législation inconnue. Sa loyauté lui dictait une chose, son instinct lui en soufflait une autre.

Pour aller à Berga, il fallait changer deux fois de train. Trois trains, trois contrôleurs. Harry et lui ne manquaient pas de bagout. En outre, il s'agissait de deux malades maigres et pauvrement vêtus. Tout fonctionnaire aurait forcément pitié d'eux. Et qui ne risque rien n'a rien.

Le lundi après-midi ils franchirent le portail, se rendirent à pied à la ville, allèrent jusqu'à la gare et montèrent dans un train en partance.

... Quelle est ton opinion, ma chère Lili ? Le texte pourrait-il paraître dans le prochain numéro de la Via Svecia ? «Nous nous sommes fiancés», rien de plus ! Et nos noms...

Cher Miklós ! Écris-le aussi à maman ! Où trouveras-tu l'argent pour le faire ? As-tu écrit à ton ami l'évêque ?

Dès le premier train, ce fut un échec. Le contrôleur les regarda, étonné, et deux fois répéta :

— Vos billets, s'il vous plaît.

Mon père lui adressa son plus beau sourire.

— Nous n'en avons pas. Nous n'avions pas l'argent. Nous sommes des malades. Des Hongrois en cours de traitement à l'hôpital d'Avesta.

Le contrôleur n'en fut pas ému pour autant. À la station suivante, il les fit descendre du train et en référa immédiatement au chef de gare. Depuis Avesta ils avaient parcouru en tout dix-sept kilomètres. D'aucuns décrétèrent que les deux évadés devaient être renvoyés à Avesta en autocar. Pour ce retour ils n'eurent pas besoin de billets.

Entre-temps une respectable commission s'était réunie à Avesta pour châtier le comportement rebelle de mon père.

Ma chérie, mon unique, ma petite Lilike! On nous a raccompagnés sous bonne escorte, au beau milieu d'un esclandre de tous les diables. Un scandale si terrible que je ne peux pas te le décrire.

Lindholm radiographia de nouveau mon père. Le lendemain il le fit appeler pour lui rendre compte des clichés. Mon père prit place et recommença, les yeux fermés, son petit jeu de balance et de divination par le truchement des pieds de sa chaise. Il fit porter le poids de son corps sur les deux pieds de derrière, et les deux pieds de devant se soulevèrent. Il devait ensuite seulement se concentrer, garder l'équilibre, pousser de plus en plus haut le centre de gravité. S'il parvenait à s'arrêter au zénith disons cinq secondes, il serait guéri. Définitivement.

En même temps, il discutait avec Lindholm des conséquences de sa fugue. Le médecin-chef, cette fois, se montrait aimable et compréhensif.

— C'est raté, Miklós. Le directeur du camp et le curateur sont furieux.

Mon père se poussait de plus en plus haut, de plus en plus en arrière sur sa chaise.

— Que peuvent-ils faire ?

— Ils vont vous déplacer.

— Où cela ?

— À Högbo, semble-t-il. Un village du Nord. Mon avis de spécialiste est sans valeur.

— Et pourquoi ? Parce que j'ai essayé d'aller voir ma cousine ?

— Pour désordre. Pour délit de fuite. Ne l'oubliez pas, Miklós, vous avez disparu deux fois de suite dans un court laps de temps. Malgré tout, je tiens à ce que vous le sachiez, je ne vous accable pas, au fond je vous comprends, vous vous dites évidemment que peu importe.

La chaise de mon père approchait de son apogée. Tombera, tombera pas ? C'était là la vraie question.

Il dit :

— Qu'est-ce que vous avez vu, hier, dans mes poumons ?

— Malgré toute ma bonne volonté je n'ai pas de bonnes nouvelles à vous communiquer. Chaque nouveau cliché, celui d'hier également, confirme que vos poumons...

Toc ! La chaise de mon père venait de retomber sur ses quatre pieds. Il était furieux. Il regarda le médecin.

— Je guérirai !

Lindholm avait tressailli quand les pieds de la chaise avaient touché terre. Évitant le regard de mon père il se leva, lui tendit la main.

— Vous êtes un drôle de bonhomme, Miklós. À la fois naïf et fou. Un cabochard et un aimable écervelé. Je vous aime bien. Je regrette que nous devions nous séparer.

*

Mon père ne fut aucunement bouleversé par son éviction d'Avesta. Sans tarder, il rechercha sur la carte son nouveau lieu de résidence, Högbo. Ce qui l'ennuyait surtout c'était de se retrouver plus loin de Berga. Il se rendit à la salle des infirmières.

— Je voudrais de nouveau vous emprunter votre valise.

Márta, alias Mickey la souris, vint à lui sans un mot, se dressa sur la pointe des pieds et lui fit une petite bise sur la joue. Plus tard elle lui rappela :

— N'oubliez pas chaque matin vos médicaments. Et arrêtez de fumer. Promettez-moi. Donnez-moi votre main !

Il promit. Ils se serrèrent la main.

L'après-midi mon père commença à faire ses bagages. Il avait décidé d'éliminer tout superflu, et dans une valise qui en avait déjà vu de toutes les couleurs il s'efforça de faire entrer toute sa vie. Ses vêtements ne prenaient guère de place, mais il avait une quantité de livres, de notes, de journaux. Et pour finir, ses lettres ! Celles qui, dans leurs enveloppes, emplissaient l'énorme carton.

Mon père trouvait son éviction du camp symbolique. Il allait enfin délester le navire de tout ce qui jusque-là le retenait. Il s'y préparait depuis longtemps sans parvenir à s'y résoudre. Il prit le carton et en retira une lourde liasse qu'entourait un ruban de soie. Les lettres de Lili ! Les autres, sa récolte de cinq mois, dont les lettres de Klára Köves, les nouvelles naïves d'une fillette de seize ans originaire de Nyírbátor, les logorrhées plaintives de deux divorcées de Transylvanie et toutes les autres, il en fit une brassée et se dirigea vers les sanitaires. La vérité nous oblige à dire que lorsqu'il était revenu d'Eksjö il avait encore huit correspondantes. Il avait alors, au début décembre, écrit à toutes les huit qu'il était un heureux fiancé et qu'il était follement amoureux. Deux d'entre elles l'avaient félicité.

Mon père traîna le monceau de lettres jusqu'à la salle des douches et leur mit le feu. En regardant les lignes qui tombaient en cendres, il se disait avec malice qu'il brûlait du même coup le chevalier graphomane qu'il avait été lui-même.

C'est alors qu'il entendit le violon.

Il attendit que les lettres aient fini de se consumer et ressortit pour regagner la baraque.

Au milieu de la pièce, Harry était monté sur une table. C'était lui qui jouait. « L'Internationale ».

Les autres émergèrent soudain de leurs cachettes. Qui de dessous son lit, qui de derrière l'armoire, qui de derrière la porte – ils avaient préparé leur affaire. Dix hommes surgissant soudain du néant – comme au théâtre.

> *Debout, les damnés de la terre !*
> *Debout, les forçats de la faim !*
> *La raison tonne en son cratère,*
> *C'est l'éruption de la fin.*
> *Du passé faisons table rase,*
> *Foule esclave, debout, debout !*
> *Le monde va changer de base,*
> *Nous ne sommes rien, soyons tout.*

Tous les amis de mon père étaient là et chantaient : Laci, Jóska, Adi, Miklós Farkas, Jakobovits, Litzman. Et Harry, d'un air innocent, jouait du violon.

> *... aujourd'hui on me transfère à Högbo, comme un indésirable, un fauteur de troubles, un agitateur, un rebelle. Mes amis ont immédiatement fait savoir qu'ils ne pouvaient pas se passer de moi un seul instant. Viendront donc avec moi Laci, Harry, Jakobovits...*

Ils se dirigèrent vers la porte, entraînant mon père avec eux. Toujours chantant, ils se rendirent dans le bâtiment principal. Harry marchait en tête avec son violon, suivi de la troupe.

Les médecins, les infirmières, les douzaines d'employés de l'hôpital se précipitèrent dans le couloir. À leur nombre, on voyait le sérieux du service. Beaucoup de visages surgissaient que mon père n'avait jamais vus. Beaucoup n'avaient jamais entendu ce chant mobilisateur et symbolique, qui plus est chanté en hongrois. Mais ces jeunes hommes qui trottaient, bras dessus bras dessous, crânement, en donnant de la voix, en faisaient un hymne triomphal.

Mon petit Miklós, je suis désespérée que notre désir de nous revoir ait causé tant de complications...

Chère Lili, chaque minute passée ensemble était pour moi toute une vie tellement je t'aime! Tu sais, quand je pense que de longs mois nous séparent encore du moment où nous pourrons être ensemble pour toujours – je suis aussitôt de mauvaise humeur!...

Mon petit Miklós, mon unique! Je vais essayer, ici à Berga, de faire en sorte que je puisse aller te voir!

*

La directrice, dans son bureau à l'agencement tout puritain, invita Lili à prendre place. C'était une femme ossue, portant lunettes, dont Lili ne pouvait imaginer qu'elle eût jamais souri. Devant elle, sur la table, il y avait un carton.

— Ma chère Lili, je suis heureuse de vous voir. J'ai parlé récemment avec M. Björkman. – Elle montra l'appareil téléphonique. – Il m'a demandé de l'appeler dès que le colis serait arrivé.

Elle poussa discrètement le carton vers Lili.

— C'est à vous. Vous pouvez l'ouvrir.

Lili dénoua la ficelle, arracha le couvercle du carton. Elle vida le contenu sur la table : deux tablettes de chocolat, des pommes, des poires, une paire de bas en nylon et la Bible. La directrice, satisfaite, se renversa en arrière.

— M. Björkman m'a priée de vous trouver une famille à Berga.

Lili feuilleta la bible et constata, déçue, qu'elle était en suédois, elle n'y comprendrait rien.

— Je vois que vous portez le cadeau de la famille Björkman...

Lili toucha la croix d'argent suspendue au-dessus de ses seins.

— Oui.

— M. Björkman m'a priée de vous dire que toute la famille vous embrasse, qu'ils prient pour vous. Ils sont heureux que vous ayez retrouvé votre maman. Que diriez-vous si, pour la fin de la semaine, je vous plaçais dans une autre famille catholique très honorable ?

Lili sentit que le bon moment était arrivé. Elle avait prévu de ne pas tergiverser, de ne pas chercher midi à quatorze heures, de dévaler sur la directrice comme une charge de cavalerie.

— Je suis amoureuse !

La femme, en face d'elle, était stupéfaite.

— Qu'est-ce que ça vient faire là ?

— Aidez-moi, je vous en prie, je suis tombée amoureuse d'un garçon qu'on vient de transférer d'Avesta à Högbo. Je voudrais aller le voir. Il le faut absolument !

Ça y était, elle l'avait dit. Elle leva sur la directrice son regard le plus implorant. La femme ôta ses lunettes, en essuya les verres avec un mouchoir. Elle devait être très myope, elle clignait les yeux comme une taupe.

— S'agit-il de l'un des deux Hongrois qui se sont enfuis d'Avesta la semaine dernière ?

Le ton était hostile. Lili aurait voulu expliquer.

— Oui, mais ils avaient leurs raisons.

La femme l'interrompit.

— Je condamne absolument ces choses-là.

Elle remit ses lunettes, adressant à Lili un regard sévère. Lili, têtue, répéta :

— Je l'aime ! Et il m'aime ! Nous voudrions nous marier !

La directrice eut un haut-le-corps. C'était là un élément nouveau qui demandait à être pris en compte.

— Comment avez-vous fait connaissance ?

— Par lettres. Nous correspondons depuis septembre.

— Vous vous êtes déjà vus ?

— Une fois, il est venu me voir à Eksjö. Nous avons passé trois jours ensemble. Je serai sa femme.

La directrice tira la Bible vers elle, la feuilleta. C'était évident, elle laissait le temps passer. Quand elle leva les yeux, il y avait dans son regard tant de tristesse que Lili eut presque pitié d'elle.

— C'est une plaisanterie ! Vous avez correspondu pendant quatre mois et vous voulez vous lier pour la vie à quelqu'un qui vous est totalement étranger ? Je vous croyais plus sérieuse.

Lili comprit qu'elle ne pourrait pas la convaincre. Elle fit encore une tentative.

— Vous êtes mariée ?

— Qu'est-ce que ça vient faire ici ?

La femme referma la Bible. Elle considéra ses vilains doigts à la peau rugueuse avant de répondre :

— J'ai une fois été fiancée. Ce fut une grande déception, douloureuse, et ça m'a servi de leçon.

15.

Le logis du rabbin Emil Kronheim à Stockholm ne pouvait guère être qualifié de confortable. Seul un argument de caractère historique parlait véritablement en sa faveur : ces mêmes meubles encombrants et sombres avaient été au service de l'arrière-grand-père, du grand-père et du père du rabbin. Les rideaux de brocart passés et effilochés qui cachaient les énormes fenêtres étaient peut-être même plus que centenaires. Le rabbin se sentait là en parfaite sécurité, l'idée ne lui serait pas venue de faire repeindre ou de déménager.

La vaisselle sale s'entassait dans la cuisine. L'odeur de hareng, qui fondait sur le visiteur comme une attaque de gaz moutarde, n'importunait plus Mme Kronheim depuis longtemps. Mais le rabbin n'en glissait pas moins à chaque occasion une assiette propre sous ses harengs. Ils se disputaient souvent à ce sujet.

Mme Kronheim, cette fois encore, était assise dans la cuisine et contemplait, impuissante, les assiettes huileuses qui traînaient çà et là. Que devait-elle en faire ?

Le rabbin, de la pièce voisine, lui cria :

— Écoute ça ! « Mon amie Lili veut à présent renier sa judéité. En compagnie de ce gars qui l'a complètement entortillée par ses lettres elle projette maintenant de changer de religion ! Le garçon est gravement atteint de tuberculose. En outre – mais je pense que c'est un mensonge –, il prétend connaître un évêque à Stockholm. Je vous en supplie, rabbin, faites quelque chose ! »

Le rabbin, attablé dans la salle à manger, glanait des bribes de la lettre et, sans même regarder ce qu'il faisait piochait dans son assiette, y pêchant chaque fois un morceau de hareng.

De la cuisine, Mme Kronheim, criant pareillement, lui demanda :

— Qui est-ce qui t'écrit ça ?

Le rabbin constata avec surprise que la saumure dans laquelle on avait fait mariner ses harengs dessinait sur la nappe des figures insolites et mystérieuses.

— Une donzelle moustachue à face de pleine lune, une certaine... – Il jeta un coup d'œil à l'enveloppe que maculaient déjà des traces brunes de hareng. – ... une certaine Judit Gold.

Mme Kronheim se disait que tôt ou tard elle allait devoir s'atteler à la vaisselle. Ce n'était pas réjouissant.

— Tu la connais ?

— Oui. Un jour, il y a plusieurs mois, je suis passé la voir à Eksjö. Nous avons parlé des mouches.

— Une nouvelle parabole, je suppose ?

Le rabbin venait de faire disparaître un autre hareng. Il mangeait bruyamment.

— Sentimentale et pleine de bonnes intentions. Toujours prête à pleurer.

Mme Kronheim soupira.

— Qui ça?

— Cette Judit Gold. Mais au fond, tout au fond de ses sentiments, tu sais ce qu'il y a?

Sa femme commençait à réunir les assiettes et les plongeait rageusement dans une bassine.

— Tu vas me le dire. Intelligent comme tu es.

Le rabbin agita la lettre.

— Tristesse et confusion maladive. C'est ça qu'il y a dedans. C'est déjà sa troisième lettre. Elle ne cesse de me dénoncer son amie. Et pas seulement à moi, de toute évidence.

*

À Högbo, petite ville du nord de la Suède, on logea mon père et ses fidèles amis dans une pension de famille, un bâtiment à deux étages. L'homme en complet-veston qui les reçut, un dénommé Erik qui avait une grosse caboche et se présenta comme leur curateur, leur donna lecture du règlement intérieur. Hormis le strict respect de l'horaire des trois repas quotidiens, on n'exigeait presque rien d'eux. Une fois par semaine ils devaient se rendre à Sandviken pour un contrôle. Mon père avait décidément l'impression que tout cela n'était qu'une perte de temps.

Leur désappointement ne fit que s'accroître quand ils montèrent à l'étage pour s'installer dans leurs chambres. Ils étaient vingt et on les logeait dans trois pièces. Dans chacune, convenable pour une famille venant pour un week-end, on avait casé sept lits. Les armoires avaient été repoussées dans le couloir. Déçus, sous l'œil d'Erik qui du pas de la porte surveillait l'opération, ils se répartirent les lits, puis, leurs valises sur les genoux, ils sortirent et rangèrent tant bien que mal leurs affaires. Le curateur leur rappela encore qu'il était interdit de fumer dans les chambres, et il se retira.

Nous vivons à sept dans un trou de souris. Laci, Harry, Jóska, Litzman, Jakobovits, Miklós Farkas – le Hongrois d'Amérique – et moi. Mais les lits! Une paillasse et un oreiller comme je n'en ai connu tout récemment qu'en centre de rétention.

Mon père jeta son dévolu sur le lit situé contre la fenêtre. Il ne se laissa pas gagner par la mauvaise humeur générale. Sifflotant, il sortit de sa valise la photo qu'ils avaient fait tirer, Lili et lui, à Eksjö. Il la plaça sur l'appui de la fenêtre, contre la vitre, calculant astucieusement que le lendemain, quand il s'éveillerait, son regard tomberait d'emblée sur le sourire de Lili.

*

Dès le premier jour, Harry et lui, dans l'après-midi, se rendirent en autobus dans le centre-ville à la recherche de la bijouterie. Le curateur les avait prévenus que le propriétaire était un vieux monsieur pointilleux. Une clochette de cuivre, suspendue au-dessus de la porte, sonnait quand on entrait dans le magasin. Harry avait apporté son violon couché dans son étui.

Le bijoutier, contre toute attente, était un homme aimable, aux cheveux blancs, un parfait homme du monde. Il portait un nœud papillon de couleur lilas. Mon père arrivait avec une stratégie bien réfléchie et bien rodée.

— Je voudrais, s'il vous plaît, deux alliances.

Le bijoutier eut un sourire.

— Vous connaissez peut-être le tour du doigt?

Mon père sortit de sa poche un anneau de vil métal, un anneau de rideau qu'il avait arraché à Eksjö. Il convenait parfaitement au doigt de Lili.

— Celui-ci sera celui de ma fiancée. L'autre sera pour moi.

L'aimable vieux monsieur prit l'anneau, en estima le diamètre et tira derrière lui un tiroir du placard. Il y farfouilla un instant puis présenta le creux de sa paume :

— Voilà!

C'était une bague en or. Il prit sous son comptoir un triboulet, compara le diamètre de la bague et celui du vulgaire anneau, hocha la tête, mit l'alliance dans sa poche et regarda mon père d'un air espiègle.

— Je peux voir votre doigt?

Il saisit la main de mon père et mesura au jugé l'épaisseur de son annulaire. Il maugréa, ouvrit un second tiroir et choisit sans hésiter une nouvelle bague en or. Il la lui tendit :

— Essayez ça, s'il vous plaît!

Mon père passa la bague. Elle lui convenait à merveille.

Je n'aime pas l'or, je n'ai jamais pu m'empêcher de penser à toutes les émotions mauvaises, à tous les bas instincts qui s'y rapportent. Mais ces deux bagues je les aimerai, puisqu'elles brancheront bientôt le flot de ton sang sur le mien...

Mon père échangea avec Harry un bref regard. Ils étaient arrivés au tournant décisif. Il demanda :

— Combien valent-elles ?

Le vieil homme réfléchit. Comme s'il se demandait lui aussi combien de viles passions s'attachaient à de telles babioles. Puis il lâcha :

— Deux cent quarante couronnes. La paire.

Mon père ne cilla pas.

— Voyez-vous, j'habite dans une pension de famille, à Högbo, c'est un camp sanitaire, pour le cas où vous ne le sauriez pas.

Le vieil homme rectifia la position de son nœud papillon. Courtoisement, il hocha la tête.

— J'en ai entendu parler.

— Alors si vous le voulez bien, je vais vous mettre dans le secret. Je viens d'accepter une mission de haute importance.

Le bijoutier lui répondit par un sourire plein d'aménité.

— Oh ! Une mission ! C'est magnifique !

— Un travail pour lequel je perçois un salaire. Une allocation mensuelle. Je calcule qu'en quatre mois je pourrai vous réunir la somme. Les deux cent quarante couronnes.

226

Mon père ne plaisantait pas. Le matin même, quand la petite colonie hongroise, valises sur les genoux, avait pris la mesure de sa situation calamiteuse, les gars avaient décidé de choisir mon père pour commun représentant. Il avait juré qu'il était prêt à lutter pour eux. Tous, y compris les Grecs et les Polonais, s'étaient alors engagés par une proclamation commune à rogner chaque mois une petite parcelle de leur argent de poche. La somme constituerait son salaire.

Le vieux monsieur fut visiblement ému. Néanmoins il ne voulait pas brader ses alliances.

— Pour commencer, toutes mes félicitations. Cela peut être le début d'une belle carrière. Mais moi j'ai fait à ma mère un serment qui est sacré. Dans mon jeune temps, peut-être un peu à la légère, je lui ai juré – voyez-vous, monsieur, nous sommes une dynastie bicentenaire – que jamais, dans quelques circonstances que ce soit, je ne ferais crédit. Je peux vous paraître mesquin, mais un serment fait à une mère, monsieur, vous devez le comprendre, cela crée une obligation.

Mon père, qui avait prévu un plan de rechange, acquiesça chaleureusement.

— Moi je suis hongrois. Je voudrais que vous me regardiez dans les yeux. Vous ne me prenez pas pour un escroc, n'est-ce pas ?

Le bijoutier recula d'un rien.

— Mais non, voyons ! Les escrocs, je les flaire à des kilomètres. Vous, je peux l'affirmer hardiment, vous n'avez pas le profil d'un escroc.

L'instant était venu. Mon père, en douce, donna un coup de pied à Harry, qui soupira et posa l'étui sur le comptoir. Avec une triste figure il en sortit le violon et le présenta au vieil homme. Mon père, d'une voix lente, détachant chaque syllabe – il estimait faire ainsi plus d'effet –, articula :

— Ma foi oui, j'avais bien calculé que vous ne feriez pas crédit à un inconnu. J'ai pensé qu'en attendant de prélever sur mon salaire l'argent nécessaire, nous pourrions vous laisser en gage cet instrument. La valeur de ce violon est au minimum de quatre cents couronnes. J'aimerais que vous l'acceptiez.

Le vieil homme cala une loupe sur son œil et inspecta minutieusement le violon. Les musiciens de la Philharmonie suédoise en avaient fait cadeau à Harry, au cours de l'été, quand un journal suédois avait écrit qu'un jeune violoniste au destin tragique était en traitement dans l'île de Gotland. Il valait beaucoup plus de quatre cents couronnes. La maman du vieux monsieur n'aurait pas pu y trouver à redire.

*

Le rabbin Kronheim descendit pesamment de l'autocar. Il avait les jambes engourdies à cause de la durée du voyage et il faisait un froid à ne pas mettre un chien dehors. En outre il neigeait de nouveau. Il demanda où se trouvait le camp-hôpital où l'on soignait les femmes. Puis, transi, il referma plus étroitement son manteau et se mit en marche.

*

Dans les deux ou trois jours qui suivirent, mon père eut l'occasion de prouver sa capacité à répondre, en toutes circonstances, aux obligations de sa charge.

Ils étaient tous là, autour de la table, dans la salle à manger miséreuse de la pension : les dix Hongrois, les Grecs, les Polonais, les Roumains. On n'entendait que le bruit régulier des cuillers heurtant à l'unisson le bois de la table. Avec détermination, ils continuèrent à tambouriner furieusement jusqu'à ce qu'Erik, le curateur au gros crâne, accourût.

— Qu'est-ce qui ne va pas, messieurs ? demanda-t-il, inquiet, en s'efforçant de crier assez fort pour couvrir la musique des convives.

Tous à la fois cessèrent de tambouriner. Mon père prit une fourchette et se leva.

Imagine, ma chère Lilike, l'éminent personnage que je suis devenu! On m'a élu Vertrauensmann *de la pension – c'est un brin de travail, mais un salaire mensuel de soixante-quinze couronnes...*

Mon père, du bout de sa fourchette, piqua dans son assiette une pomme de terre et la fit voir à la ronde.

— Cette pomme de terre est pourrie !

Erik, confus, se dandinait. Puis, comme tous le regardaient et qu'il voulait se montrer à la hauteur de son rôle de curateur, il se dirigea d'un pas lourd vers mon père afin de renifler la pomme de terre. Il s'efforça de ne pas faire la moue.

— Elle sent le poisson. Et alors ?

Mon père montrait comme une pièce à conviction la pomme de terre plantée au bout de la fourchette.

— Elle est gâtée. Hier aussi il y en avait une qui était suspecte. Mais cette fois c'est évident. Pourrie.

L'un des Grecs, qui même la nuit gardait son bonnet de tricot sur la tête, claironna en grec :

— Je vais écrire à la Croix-Rouge internationale !

Mon père le reprit avec douceur :

— Ne bouge pas, Theo, je m'en charge.

Courtoisement, il désigna la chaise vide, à côté de la sienne.

— Prenez place parmi nous !

Erik hésitait. Mon père tira la chaise.

— J'aimerais que vous la goûtiez.

Le curateur s'assit, prudemment, d'une seule fesse. Harry lui avait déjà apporté assiette et couvert. Mon père détacha la pomme de terre de la fourchette et la déposa au milieu de l'assiette.

— Je vous en prie. Bon appétit !

Erik, effrayé, jeta un regard circulaire. On ne lui ferait pas grâce. Il mordit dans la pomme de terre. Mon père s'était rassis à côté de lui. D'un œil indifférent il le regardait mâcher et avaler. Le curateur tenta de plaisanter :

— Elle a un petit goût de requin. Mais moi j'aime le requin. C'est délicieux !

Mon père, sans qu'aucun sentiment se reflétât sur son visage, empala sur sa fourchette une nouvelle pomme de terre et la déposa dans l'assiette d'Erik.

— Vraiment ? Alors si c'est un délice, mangez, monsieur le curateur ! Mangez donc !

Erik – qu'eût-il pu faire d'autre ? – régla également son sort à la deuxième pomme de terre. Il eut plus de mal à la faire passer que la première, mais il y parvint.

— Croyez-moi, elle n'a rien. Rien de rien.

— Vraiment ? Alors je vous en prie, régalez-vous !

Mon père accéléra la cadence. Tour à tour il piquait sur sa fourchette de nouvelles pommes de terre puis les déposait sur l'assiette. Il en édifia une petite colline. Les autres, debout, faisaient cercle autour d'eux.

... ma chère, mon unique petite Lilike, figure-toi que le curateur a tout de suite blêmi, mais on a eu l'impression que c'était un brave, car même à la fin il a héroïquement affirmé que c'était mangeable...

Erik pensa qu'il valait mieux en finir rapidement avec ce cirque. Il s'empiffra.

— Très mangeable. Pas mauvais. Excellent.

Mais il avait déjà une forte envie de vomir. Entre-temps il buvait. Héroïque, il affrontait les énormes portions. La dernière pomme de terre avalée, il se leva, se cramponnant au bord de la table pour ne pas tomber. Mon père le prit par les épaules, s'efforçant de le tourner vers lui.

— Vous n'êtes pas sans savoir que c'est l'UNRRA qui paie pour nous jusqu'à la dernière pelure de pomme de terre ! Ne considérez pas, vous autres, les habitants des camps comme des mendiants tenus de vous baiser la main pour la moindre patate !

Les autres d'applaudir. C'était cela qu'ils attendaient de mon père, ce ton. C'était pour cela qu'ils le payaient.

Erik eut un renvoi. Il se prit le ventre à deux mains.

— Messieurs, vous vous méprenez sur la situation.

Il s'affala. Il avait si mal au ventre qu'il griffait le plancher pour ne pas pleurer.

16.

À la cantine de Berga, on avait repoussé les tables les unes contre les autres de manière à former pour longues tablées. Outre les deux filles de cuisine qui servaient, trois réfugiées du camp étaient désignées chaque semaine comme auxiliaires. Mais même ainsi il fallait compter une heure et demie avant que tout le monde soit servi.

Ce fut la directrice, la femme qui ne souriait jamais, qui accompagna Emil Kronheim à la cantine. Le rabbin avait l'habitude de l'ordre strict, militaire, de ces camps, mais le spectacle, chaque fois, l'accablait. Tout ce qu'il demanda à la directrice, ce fut de lui assurer un local à part, à proximité.

Judit avait pris place loin de la porte, mais elle eut comme un pressentiment. Soudain, sans savoir pourquoi, elle tourna les yeux vers l'entrée. Et voilà que la porte s'ouvrait, le rabbin apparaissait. Judit se sentit mal, la sueur l'inonda. Elle essaya de se concentrer sur la nourriture, de fixer son attention sur la façon dont sa cuiller s'enfonçait dans le rouge de la soupe.

La directrice se dirigeait vers elles. Déjà elle les dominait de son haut. Judit était comme plongée dans son assiette de soupe. La directrice chuchota d'un ton confidentiel :

— Vous avez un visiteur.

Judit releva la tête. Son cœur battait la chamade. Elle s'étonna que personne ne l'entendît.

Lili se leva.

— Pour moi ?

— De Stockholm. Le rabbin Kronheim. Il voudrait s'entretenir avec vous.

— Un rabbin ? De Stockholm ? Maintenant ?

— Il est pressé. Il doit repartir par le train de deux heures.

Lili, par-dessus les têtes, regarda Emil Kronheim qui se tenait à l'autre bout de la salle. Le rabbin lui adressa un signe de tête amical.

Attenante à l'immense cantine, il y avait une salle plus petite, qui communiquait avec elle par une ouverture vitrée ; autrefois c'était sans doute par là qu'on passait les plats. Judit, en se redressant un peu, les apercevait. Elle ne pouvait s'empêcher de jeter de temps en temps un coup d'œil de leur côté. Elle les vit faire connaissance, puis s'asseoir. Sa main tremblait, elle préféra poser sa cuiller. Elle était certaine que le rabbin ne la trahirait pas. Ne la démasquerait pas. Pourtant, sans qu'elle comprît pourquoi, un regret lancinant, un remords cuisant s'était emparé d'elle.

Le rabbin, dans l'espace exigu de cet ancien office, posa sa montre sur la table et la remonta. Il comptait sur son paisible tic-tac pour faire passer le courant.

Ils l'écoutèrent un instant car Lili non plus n'avait pas l'intention de rompre le silence. Quand le rabbin Kronheim estima que l'effet cloche de verre, sans lequel les entretiens religieux ne valaient pas un clou, avait dû se produire, il se pencha en avant et regarda Lili au fond des yeux.

— Tu as perdu Dieu.

Le tic-tac continuait.

Comment cet inconnu pouvait-il avoir l'audace de regarder ainsi dans son cerveau? Lili ne posa pas la question. Elle s'étonna de ne pas s'en étonner.

— Non. C'est Dieu qui m'a perdue.

— Il est indigne de toi de t'arrêter à une telle vétille.

Lili haussa les épaules. On avait couvert la table avec un chemin de table au crochet. Elle le tripotait.

— D'ailleurs d'où tirez-vous cela?

Le rabbin se renversa en arrière, sa chaise craqua.

— C'est sans intérêt. Je le sais. Et tu as une croix?

Lili rougit. Comment le savait-il? Elle tâta dans sa poche l'enveloppe qui contenait la croix. Elle ne l'avait sortie qu'une fois depuis son départ d'Eksjö, quand elle était allée dans le bureau de la directrice pour quémander l'autorisation de la visite. Ça n'avait servi à rien.

— Oui. J'ai une croix. On me l'a donnée. Ce n'est pas bien?

Kronheim se rembrunit.

— Je ne saute pas de joie.

Le tic-tac de la montre, monotone, mesurait le temps.

— Écoute-moi bien, Lili. Nous sommes tous pleins de doutes. Certains plus petits, d'autres plus grands. Mais ce n'est pas une raison pour tourner le dos...

Lili tapa sur la table; la montre, comme une balle en caoutchouc, fit un petit saut.

— Vous étiez là-bas? Vous avez fait le voyage avec nous? Vous étiez dans le wagon?

Lili chuchotait, mais elle serrait les poings, elle ne s'était pas levée, mais tout son corps était tendu. Kronheim, d'un geste, désigna la cantine, les autres, par-delà la vitre.

— Je ne chercherai pas à t'endormir en te disant que c'était une épreuve. Non, je n'oserai pas te dire cela après tout ce qui s'est passé. Dieu t'a perdue – d'accord! Ou plutôt, pas d'accord! Moi aussi je suis en procès, pour ça, avec lui. En procès, en colère. Je ne pardonne pas! Qu'il ait pu nous faire ça! À toi! À elles!

Le rabbin fourra sa montre dans sa poche, il n'avait pas envie de continuer. Il se leva, sa chaise tomba. Mais il n'en avait cure. Il se mit en marche. Il y avait quatre pas d'un mur à l'autre. Rapide, véhément, il allait et venait :

— Non, c'est impardonnable. C'est moi qui te le dis, moi le rabbin Emil Kronheim! Si! Si! Des millions de tes frères et sœurs ont péri. Des millions ont été assassinés comme du bétail à l'abattoir! Non, le bétail est traité avec plus d'égards que nos coreligionnaires! Mais bon Dieu de bon Dieu, ces millions ne sont pas encore refroidis! On n'a même pas terminé pour eux la prière! Et déjà tu nous abandonnes? Tu nous tournes le dos? Ce n'est pas envers Dieu que tu dois être équitable, il ne le mérite pas! C'est envers ces millions d'êtres. Tu n'as pas le droit de les renier.

236

De la cantine Judit voyait le rabbin arpenter la pièce en criant. Quelle chance elle avait d'être là où elle était ! De n'avoir à supporter que la rumeur paisible de la cantine, le bruit des cuillers, le bourdonnement tranquille des filles. Oui, bien sûr, son appétit... Elle n'avait même pas touché à la viande au riz qu'on venait d'apporter. Manger lui répugnait.

*

Mon cher petit Miklós ! Nous avons eu aujourd'hui la visite d'un rabbin, il est de Stockholm et m'a tenu un petit sermon moralisateur à propos de notre conversion. Je n'ai pas la moindre idée de la façon dont il a pu en être informé. C'est peut-être ton évêque qui l'a mis au courant ?

Ce passage de la lettre incita mon père à passer rapidement à l'action. Il décida de régler par les voies les plus rapides la question compliquée de la conversion. Il chercha dans l'annuaire téléphonique l'adresse et le numéro de téléphone du presbytère rural le plus proche. Il pensait que plus il serait modeste, moins on y ferait d'histoires. Un curé de village serait tout de même beaucoup plus facile à convaincre qu'un évêque de la capitale. Il expliqua tout par avance au téléphone, puis prit l'autobus pour se rendre de Högbo à Gävle.

Dans le village, il trouva la simple et accueillante église en bois qu'il espérait secrètement. Par les fenêtres situées au-dessus de la tribune, la lumière entrait à flots. Le curé avait dépassé les quatre-vingts ans et sa tête

237

tremblotait en permanence. La veille, mon père s'était rendu à la bibliothèque de Högbo, et s'était préparé à fond. Son calcul s'avéra judicieux. Quand il prononça les mots *Congregationes religiosae* et expliqua que Lili et lui désiraient, en tant que juifs, unir leurs vies dans cette église, les yeux du vieux bonhomme s'emplirent de larmes.

— Comment connaissez-vous tout cela ?

Mon père ne se laissa pas démonter. D'un air important il continua à expliquer :

— ... dont l'essentiel est que ma fiancée et moi adhérions à la foi catholique non pas par un engagement solennel mais par des vœux simples valables pour un temps limité...

Les mains du curé se mirent également à trembler. Il sortit un mouchoir, s'en tamponna les yeux.

— C'est l'émotion... Votre ferveur...

Mon père était lancé. Sa mémoire visuelle ne lui fit pas défaut cette fois encore, il fut capable de citer mot pour mot le passage ad hoc.

— Pour autant que je sache, mon père, mais corrigez-moi si je me trompe, les vœux simples sont temporaires et unilatéraux, autrement dit ce n'est que le postulant, en l'occurrence ma fiancée et moi-même, qu'ils lieront à la congrégation, alors que les vœux perpétuels sont bilatéraux et donc ne peuvent être dissous ni par le postulant ni par la congrégation.

— Comment savez-vous tout cela ?

— Nous prenons notre conversion très au sérieux.

Le vieux bonhomme se ressaisit, se leva, fila vers la sacristie ; mon père avait peine à le suivre. Il sortit un énorme registre à l'épaisse reliure, trempa sa plume dans une bouteille d'encre. Mon père remarqua avec ravissement qu'il utilisait de l'encre verte.

— Vous m'avez convaincu. Je n'ai plus aucun doute sur le sérieux de votre projet. J'enregistre vos noms, prénoms et qualités. Vous m'appellerez quand votre fiancée pourra prendre le train pour venir de Berga. Si nous avons la date, j'inscrirai votre baptême en priorité. Je peux vous dire une chose, Miklós : au cours de mon ministère je n'ai encore jamais rencontré un tel élan.

*

Durant cette période, la correspondance de mon père et de Lili alla s'enrichissant; il leur arrivait d'échanger deux lettres dans la même journée. Le soir du 31 décembre, il monta dans la chambre, trouvant incongru de se saouler avec les autres dans la salle à manger de la pension. Couché sur son lit, il posa sur sa poitrine la photographie de Lili et fit serment de rester en vie. Il se le répéta, se le récita jusqu'au moment où il s'endormit. Quand Harry et les autres, à l'approche de l'aube, entrèrent dans la pièce en titubant, ils le trouvèrent tout habillé, couché sur le dos dans son lit; il dormait, les larmes aux yeux; la photo de Lili dépassait sous sa main.

Ma petite Lili, toi qui es toute ma vie !
Maudite Via Svecia *! J'ai commandé le faire-part, j'en ai envoyé le texte précis. Et voilà qu'il paraît comme ça, avec cette funeste coquille ! Je te l'envoie*

en tremblant! Ils ont inversé les noms! Il en ressort
que c'est toi qui me prends pour épouse!

À Berga, en prélude à la soirée de la Saint-Sylvestre,
Lili se mit au piano et Sára chanta. Elles avaient préparé des airs d'opérettes. «Hajmási Péter», la chanson fameuse de *Princesse Czardas*, eut un tel succès
qu'elles durent trois fois la répéter. La suite de la soirée
fut moins joyeuse. Un trio suédois leur succéda, on
dansa beaucoup, on pleura. Chacune, pour le réveillon,
avait droit à un litre de vin rouge.

À midi, pendant le déjeuner, tu occupais aussi
ma pensée, car il y avait de la sauce tomate, et tu
l'adores!
Ma douce petite frimousse, je t'aime tellement!

*

Le premier jour de l'année nouvelle, les gars firent
chacun un serment. Jakobovits, depuis qu'il pouvait se
lever, autrement dit depuis juillet, fourrait à chaque
repas un morceau de pain dans sa poche. Il savait bien
que c'était bête, qu'il y aurait encore du pain le lendemain. Mais on ne se refait pas. Le 1er janvier 1946, Pál
Jakobovits fit serment de ne plus bourrer ses poches de
pain. Harry fit serment de ne plus chercher à séduire
que s'il éprouvait de l'amour. Litzman décida d'émigrer
en Israël. Mon père fit le serment que dès son retour au
pays il commencerait à apprendre le russe.

Nous autres, quand nous rêvons, nous pensons à tout sauf à un amour égoïste! Notre avenir, nous l'imaginons en association avec travail, mission et action au service de la société!

Le matin du jour de l'An, à Berga, les Hongroises chantèrent le « Himnusz ».

Mon chéri, mon petit Miklós! Quand iras-tu à Stockholm chez le dentiste?

*

Une semaine plus tard, mon père monta dans le bus de Sandviken. Cela faisait des années qu'on n'avait pas enregistré un froid comme celui de cet hiver. Il faisait − 20°. Une épaisse carapace de glace couvrait les vitres de l'autobus, comme si des mains dévouées l'avaient enveloppé de papier métallisé. Mon père était seul, cahoté dans cette clarté d'argent.

Chez nous, je ne veux travailler que pour un journal des travailleurs; si cela ne va pas, je chercherai un autre métier. J'en ai assez des bourgeois.

Au matin de ce même jour, à Berga, Lili refusa de se lever. Elle en était incapable. Vers midi, Sára et Judit la tirèrent de force de son lit. Elles l'habillèrent comme un bébé. Elles se procurèrent un traîneau, elles y installèrent leur amie et la remorquèrent tour à tour d'un bout à l'autre de l'allée principale du camp.

Mon chéri, mon unique, mon petit Miklós! Je n'ai jamais, au grand jamais, ressenti un tel mal du pays. Je donnerais dix ans de ma vie pour y retourner d'un coup d'ailes!

Mon père, dans cet autobus enveloppé de papier d'argent, était comme un chocolat oublié dans une bonbonnière. Le moteur ronronnait doucement. Le passager était enclin à tout oublier du monde extérieur. À l'intérieur la chaleur était agréable, l'éclairage paradisiaque, et les amortisseurs le berçaient. Mon père, dans sa poche, tâtait un objet mince et pointu.

Je mets la main dans ma poche, elle tombe sur un tube de rouge à lèvres : «Mitzi 6. Carmin». Je l'avais acheté la dernière fois et j'ai oublié de te l'envoyer. Je te le donnerai en mains propres. Mais pour commencer nous vérifierons s'il tache ou non quand on s'embrasse. D'accord?

Dans son traîneau, Lili avait des ailes. Sára et Judit s'étaient attelées ensemble à la luge. Elles voulaient réconforter leur amie. Elles espéraient que cette course dans un air pur et froid lui ferait du bien.

Ta lettre est là, devant moi et cela fait bien vingt fois que je la relis. Chaque fois j'y découvre quelque chose de nouveau, et je suis à chaque instant de plus en plus follement heureuse.
Ah, comme je t'aime!!!!!

J'ai fait un rêve intéressant, je n'en ai peut-être jamais fait d'aussi net. Nous arrivions chez nous. Maman et papa nous attendaient à la gare. Tu n'étais pas avec moi ! J'étais seule !

Lili, dans son rêve, arrivait à la gare de l'Est. Il y avait une foule énorme, mais ni cohue ni bousculade. Les gens étaient immobiles, raides, ils étaient plusieurs centaines, ils regardaient devant eux. Le seul mouvement était celui de la locomotive qui faisait une entrée triomphale sous la verrière en lâchant des jets de vapeur. La fumée recouvrait peu à peu la foule, puis s'élevait, et dans la clarté plombée de l'aube des gens descendaient du train. Tous traînaient de lourdes valises. Ceux qui les attendaient – ils étaient plusieurs centaines, voire des milliers – continuaient à attendre, immobiles.

Lili portait une robe à pois rouges ainsi qu'une immense capeline. Elle apercevait maman et papa dans la foule immobile. Elle se mettait à courir, sans parvenir à se rapprocher d'eux d'un pouce. C'était vraiment bizarre. Elle courait tant qu'elle en avait la bouche sèche et de plus en plus de mal à respirer. Mais la distance demeurait la même. Elle ne devait pas être de plus de dix mètres. Lili voyait distinctement le regard terne et triste de maman. Papa, heureusement, riait. Il ouvrait tout grands les bras pour accueillir sa petite fille, or Lili était incapable de le rejoindre.

*

Le cabinet de radiologie de Sandviken était un minuscule cagibi où seul l'appareil trouvait place. À l'époque mon père considérait déjà les rayons X comme ses ennemis personnels. Tant de fois on l'avait radiographié, tant de fois il avait pressé ses maigres épaules contre la plaque de verre qu'une haine farouche s'emparait de lui dès qu'il en voyait une.

Il ferma les yeux, s'efforçant de refouler sa répugnance.

La doctoresse, Irene Hammarström, était loin de savoir, comme Lindholm, créer un climat de confiance. Mais elle était compréhensive, douce et d'une beauté diaphane. Elle scrutait mon père d'un regard appuyé, comme pour tenter de percer son ultime secret.

Debout devant la fenêtre, elle tenait le cliché à contre-jour. Mon père était occupé à son petit jeu habituel. Il déplaçait son centre de gravité sur les pieds arrière de sa chaise ; lentement il se renversait en arrière. Il ne regardait pas Irene Hammarström. Il pilotait sa chaise dans un équilibre de plus en plus précaire. La doctoresse, devant la fenêtre, murmura :

— J'en crois à peine mes yeux.

Mon père avait atteint le point fatidique, celui où un millième de millimètre faisait la différence. S'il calculait mal, il dégringolerait, comme une quille dans un jeu de quilles.

Irene Hammarström, excitée, alla prendre sur son bureau une ancienne radio, classée parmi d'autres dans une boîte. Elle retourna à la fenêtre, compara les deux clichés. Elle s'adressa à mon père, qui se repoussa encore d'un rien en arrière.

— Regardez, voici la radio de juin. Il y a là une tache grosse comme une pièce de cinq öre.

Le numéro de mon père avait atteint son point culminant. La chaise, sur ses deux pieds, vacillait. Ses chaussures avaient quitté le sol.

— Et voici celle d'aujourd'hui. On n'y voit presque plus rien. Un vrai miracle. Que vous a dit le docteur Lindholm ?

Mon père était parvenu à la limite fixée par les lois de la physique. Résultat de ses entraînements précédents, il était maintenant juché sur sa chaise, entre ciel et terre, tel un faucon prêt à fondre sur sa proie. Imperturbable.

— Qu'il me restait six mois.

— Un peu froid, mais réaliste. Je n'aurais rien pu dire d'autre.

Le numéro d'équilibriste de mon père continuait.

— Que voulez-vous dire par là ?

— Je ne suis plus sûre de rien. À la vue de ce dernier cliché...

— Qu'y voyez-vous ?

— À présent je vous dirais courage. Continuez comme ça. Où en est-elle, votre fièvre de l'aube ?

La chaise était restée en équilibre, cinq secondes de miracle. Elle bascula et mon père avec elle. Irene Hammarström jeta les radios et se précipita.

— Juste ciel !

Mon père s'était sérieusement cogné, mais il grimaça un sourire.

— Ce n'est rien, ce n'est rien, seulement un pari que j'avais fait avec moi-même.

245

Irene Hammarström, à la vue de ses vilaines dents en vipla, se promit d'adresser au centre provincial une requête, en espérant les convaincre de réparer, à un tarif de faveur sinon gratuitement, la dentition de ce sympathique jeune Hongrois.

*

Ce fut un jour mémorable.

À la pension, mon père entra dans la chambre où tous attendaient au garde-à-vous. Mon père ne pouvait imaginer qu'ils aient eu vent de son entrée sur les voies de la guérison. Mais comme tous ses amis avaient un visage rayonnant de fierté et de joie, ce fut la seule raison qui lui vint à l'esprit. Il s'assit sur son lit et attendit. Les autres, bouche close, se mirent à fredonner l'« Hymne à la joie » de Beethoven.

Quand le mystère de ce cérémonial devint insupportable, quand le chœur bourdonnant de la *Neuvième symphonie* eut atteint des hauteurs sans pareilles, quand mon père, allongé sur son lit, eut fermé les yeux et pris son essor, Harry sortit le journal. Sans un mot il le tint au-dessus de la tête de mon père, comme un communiqué.

Le poème était là, noir sur blanc, en langue suédoise. À la troisième page de la *Via Svecia*. Imprimé en italique. *Till en liten svensk gosse* – « À un petit garçon suédois ». Et au-dessus, le nom du poète. Celui de mon père.

Mon père composait tous ses poèmes dans sa tête. Cela durait des jours, des semaines. Puis, quand il sentait que c'était prêt, il n'avait plus qu'à écrire.

Mais ce poème-là n'avait pris que dix minutes. Mon père était alors sur le bateau, dans sa chaise longue. Le gâteau dans sa bouche avait un goût de framboise et de vanille. La sirène retentissait. Lentement ils s'éloignaient du rivage, les femmes – l'escadron de cyclistes –, debout sur le quai, suivaient des yeux le navire, immobiles. Le pays qui allait les accueillir pour un temps plus ou moins long était là, à portée de la main. Mon père eut le sentiment que ce gâteau qu'il avait reçu en cadeau appelait un cadeau en retour. Il allait écrire un poème qui serait dédié aux enfants suédois. Un viatique, une exhortation, un conseil, qui tirerait sa force irrépressible de ses expériences de l'enfer.

Mon père tournait dans sa bouche la pâte onctueuse, en scandant *in petto* les deux premiers vers : «Tu ne sais rien, toi petit gars, de ce qui trace – au front d'un continent de noirs sillons de mort...» Et déjà il voyait devant lui le dédicataire du poème, le blondinet de six ans qui serrait contre lui son nounours et le regardait. Le petit garçon suédois.

Les vers affluaient, il était presque plus difficile de les écrire que de les trouver. Quand le bateau vira de bord et se mit à labourer à toute vapeur le grand large, le poème était terminé.

Tu ne sais rien, toi petit gars, de ce qui trace
au front d'un continent de noirs sillons de mort.
L'avion n'est pour toi que l'oiseau qui s'efface
dans le ciel étoilé de ton pays du Nord.

Que pouvais-tu savoir des alertes, des bombes,
de ce qu'est pour de vrai l'enfer du cinéma ?
Le flot du temps n'a pas noyé l'horreur du monde,
le vrai mal, mon garçon, tu ne le connais pas.

Vous aviez des tickets, certes, mon petit frère,
pour manger, se vêtir, mais tu pouvais jouer.
Eux, la mort grimaçait sur leur pain de misère,
des enfants comme toi s'en allaient en fumée.

Un jour tu grandiras, tu seras, je présume,
un de ces blonds géants souriants, dévoués ;
nos larmes d'aujourd'hui seront nuage et brume ;
notre présent sera devenu le passé.

Te rappelant nos jours d'ordure et de massacres,
l'enfant maigre et pâlot ne va pas l'oublier
qui n'avait pour joujou qu'un éclat de grenade
et pour anges gardiens des engins meurtriers.

À ton fils, ce jour-là, dis bien que la justice
n'a jamais résidé dans le bruit des tambours,
que pour sauver le monde au bord du précipice
la portée des canons n'est pas d'un grand secours.

Au rayon des jouets, ce ne sont pas des armes
ni des soldats de plomb qu'il convient d'acheter
mais des cubes de bois pour que dès son jeune âge
il apprenne à construire et non pas à tuer.

Harry tapota l'épaule de mon père.

— J'ai pris en main ta carrière. Avec ta permission rétrospective j'ai envoyé ce poème à un journal de Stockholm. Je leur ai demandé de le traduire. Je leur ai écrit que le traducteur ne devait pas être n'importe quel empoté, que ce poème était d'un grand poète hongrois : toi. C'était il y a trois mois. Il est paru dans l'édition de ce matin. J'ai vérifié la traduction. Elle n'est pas mauvaise.

Les autres, toujours au garde-à-vous, continuaient à fredonner. Mon père se releva, serra Harry dans ses bras, et se concentra pour ne pas se mettre à pleurer comme un veau. Ce qui n'eût pas été digne d'un grand poète hongrois.

*

Oui, ce jour fut bien à marquer d'une pierre blanche, on en eut la preuve avant minuit.

On tambourina à la porte. Un homme demandait mon père au téléphone. Il dormait déjà, les coups le réveillèrent. Pendant un instant il se demanda où il était. En pyjama, le cœur battant la chamade, il dévala l'escalier, fila d'un trait à la réception, se rua sur le téléphone.

Une voix inconnue demanda :

— Je vous ai réveillé ?

— Ça ne fait rien.

— Ne m'en veuillez pas. Je suis le rabbin Kronheim, de Stockholm. Je viens à vous pour une affaire très importante.

Mon père avait froid aux pieds. Pour se réchauffer il pressait la plante d'un pied contre le mollet de l'autre jambe.

— Je vous écoute.

— Pas au téléphone ! Vous n'y pensez pas !

— Excusez-moi.

— Écoutez-moi, Miklós. Demain matin j'irai en train jusqu'à Sandviken. Je disposerai de deux heures, ensuite je rentrerai. Rencontrons-nous à mi-chemin.

— Si vous le souhaitez, je peux aller en ville.

— Non, non, j'insiste pour que nous nous voyions à mi-chemin. Östanbyn vous convient ?

Östanbyn était le premier arrêt de l'autobus en direction de Sandviken. Mon père l'avait déjà vu une douzaine de fois.

— Et où à Östanbyn ?

— Vous descendez du bus, vous continuez à pied en direction de Sandviken. À la première rue, vous tournez à droite, et vous continuez, vous continuez jusqu'à ce que vous parveniez à un pont de bois. Je vous attendrai là. Vous avez noté ?

Mon père, interloqué, acquiesça.

— Puis-je me permettre de vous redemander votre nom ?

— Emil Kronheim. Donc demain matin dix heures, au pont de bois. Ne soyez pas en retard !

Le rabbin raccrocha. Il avait mené la communication si rondement que ce n'est qu'ensuite, le combiné ronflant encore dans sa main, que mon père s'avisa qu'il ne lui avait même pas demandé de quelle affaire il voulait s'entretenir avec lui.

*

Le lendemain matin, mon père descendit du bus près d'Östanbyn. Il suivit l'itinéraire indiqué par le rabbin, alla jusqu'au premier croisement, tourna à droite, continua à marche forcée pendant vingt minutes et parvint au pont de bois. Emil Kronheim, vêtu de son manteau noir qui lui descendait jusqu'aux chevilles, s'était assis, fatigué, sur une grosse pierre. Mon père fut étonné qu'il pût y avoir un être humain, dans ce monde glacé, qui ne s'activât pas, qui même se conduisait comme s'il faisait un pique-nique au pays des lacs, au cours d'une randonnée estivale.

— Quelles sont les nouvelles ? lui lança joyeusement le rabbin de l'autre bout du pont.

Mon père fit halte. Les nouvelles n'étaient pas seulement bonnes, elles étaient excellentes. Mais à quoi faisait-il allusion, ce grotesque personnage ?

— Rabbin Kronheim ?

— Qui d'autre ? Qui est cet évêque catholique que tu as promis à Lili ? Car si tu pensais à celui de Stockholm, je le connais fort bien. C'est un homme charmant.

Mon père, à cet instant, se souvint d'un passage de la lettre de Lili au sujet d'un rabbin qui lui avait fait la morale. Oui, bien sûr ! Ce rabbin c'était Kronheim ! Cela paraissait clair. Il venait lui passer un savon à lui aussi. Qu'il aille au diable ! Dommage d'avoir traîné ses guêtres jusqu'à Östanby.

— Nous n'avons plus besoin de l'évêque.

— Parions que tu as trouvé quelqu'un d'autre.

Le pont de bois, long d'au moins trente mètres,

enjambait une rivière. En contre-haut, en contrebas, des pins plusieurs fois centenaires montaient la garde. Sur leurs branches enneigées le silence reposait, gelé dans la lumière. Pas un souffle de vent, pas un sifflement d'oiseau. Seuls leurs éclats de voix troublaient la majestueuse beauté du paysage.

— Gagné, Reb. Un merveilleux vieux bonhomme, à Gävle. C'est lui qui va nous baptiser.

Kronheim fourragea dans sa crinière.

— Lili ne tient plus tellement à cette bêtise.

Mon père décida d'aller regarder l'homme dans les yeux. Il traversa le pont, lui tendit la main.

— Moi, elle m'a écrit exactement le contraire.

— Mais encore ?

— Qu'un rabbin de Stockholm était venu lui faire un sermon. Qu'il avait flairé Dieu sait où nos intentions. Quelque chose de ce genre.

— Ces expressions cyniques, ta fabuleuse fiancée n'a pas pu les utiliser. Flairer... Je ne suis pas un chien de chasse !

— C'est vrai, Reb, comment l'avez-vous su ? Nous n'en avons parlé à personne.

Kronheim prit le bras de mon père et s'avança avec lui jusqu'au milieu du pont. Là, s'accoudant au parapet, il parcourut des yeux les alentours.

— As-tu déjà vu quelque chose d'aussi monumental ? Cela avait le même aspect il y a cent ans, il y a mille ans.

La vallée en contrebas était en effet d'une effrayante beauté. Une épaisse forêt de pins, à perte de vue, semée de sucre en poudre.

Mon père sentit que le moment était venu de renverser le dernier obstacle.

— Voyez-vous, Reb, avant la guerre j'aurais considéré que franchir ce pas, c'était prendre la fuite. Mais à présent c'est une décision limpide et indépendante.

Kronheim ne regardait pas mon père. En apparence il s'adonnait complètement à la contemplation de la nature.

— Rien ne vient souiller ce paysage.

Mon père poursuivit résolument :

— Moi je pense au sort de l'enfant que nous aurons un jour. En outre je n'ai jamais été croyant. Je suis athée, monsieur, vous pouvez me mépriser pour cela. Je veux que vous le sachiez : notre conversion n'a rien à voir avec la couardise.

Le rabbin fit la sourde oreille.

— Il est là depuis la nuit des temps. Admettons que ce pont ait été construit ici comme belvédère. Mais il est en bois lui aussi ! Vois-tu ici un autre matériau ? Du fer, du verre, du cuivre ? Non, mon fils, n'est-ce pas ?

— C'est de cela que vous vouliez me parler, Reb ? Du pont de bois d'Östanby ?

— Entre autres.

Mon père commençait à en avoir assez des paraboles. S'il avait des remords, il les avait refoulés, et voilà que surgissait ce petit homme aux cheveux raides qui lui débitait un sermon sur l'immaculée beauté de la campagne. Il le comprenait, oui, bien sûr, comment aurait-il pu en être autrement ! Plusieurs milliers d'années ! Je t'en fiche ! Si Lili veut sortir du judaïsme, il dégagera la route de toute appréhension, de toute angoisse, de tout doute dormant au fond de son âme.

Il s'inclina.

— Heureux, rabbin Kronheim, de vous avoir rencontré. Notre détermination est définitive. Personne ne nous fera changer de chemin. Au revoir.

Il se mit en route, d'un pas ferme. Arrivé au bout du pont, il se retourna. Ce fut comme si Emil Kronheim n'avait attendu que cela : il sortit une lettre de la poche de son manteau et l'agita.

— Je me déteste pour cela, cria-t-il, mais comme le dit l'Écriture... Peut-être qu'elle ne le dit pas, l'Écriture... En un mot, je voudrais passer avec toi un marché pas très propre, mon petit gars.

Mon père ouvrit de grands yeux.

— Approche, regarde un peu ce que j'ai là !

Le rabbin tournait la lettre entre ses mains. À son corps défendant mon père fit demi-tour.

— J'ai rédigé cette requête. Elle est si touchante que personne ne pourra s'empêcher d'avoir la larme à l'œil. Tu la signes, et dès aujourd'hui je la porte à Stockholm. N'aie crainte, je leur extorquerai le oui. Je n'y mets qu'une seule condition : j'aimerais vous marier à la synagogue de Stockholm. Bien entendu sous la houppa. Les vêtements, les frais de la cérémonie, la réception amicale après le mariage, je les prends à ma charge. La LOTTA après cela pourra vous faire une gracieuseté. Elle sera tenue d'ouvrir aux jeunes mariés une chambre séparée, disons à Berga.

Mon père regarda le papier. Il était en suédois. À ce qu'il put y comprendre, c'était une habile sollicitation

254

adressée à l'antenne de la Croix-Rouge internationale à Stockholm.

— Ils ne s'occupent pas de ce genre d'affaire.

— Mais si ! Ils seront fiers. Ils se rengorgeront. Ils s'en serviront. Ils feront écrire un article. Car enfin quoi, deux parias, revenus chancelants de la mort et sous leur patronage font alliance pour une nouvelle vie. À propos, que dit le médecin ?

— À quel sujet ?

— La tuberculose.

— Ça aussi vous savez ?

— C'est mon devoir de suivre les affaires. C'est pour cela qu'on me paie.

— Je suis en voie de guérison. La caverne se calcifie.

— Dieu soit loué.

Kronheim serra mon père dans ses bras et lui chuchota à l'oreille :

— Marché conclu ?

Mon père flancha. Déjà, par-devers soi, il rédigeait la lettre dans laquelle il expliquait à Lili qu'un adulte, à plus forte raison s'il est socialiste, n'a pas à se perdre dans les détails de je ne sais quelles questions religieuses.

17.

Soudain les événements se précipitèrent. Le rabbin, comme il l'avait promis, obtint toutes les autorisations à la vitesse d'un éclair. Deux mois ne s'étaient pas écoulés que Lili et mon père se retrouvaient sous la houppa, dans la *Judiska församlingen* de Stockholm. Kronheim paya les frais, la robe de taffetas blanc de Lili et le smoking noir de mon père. Il organisa également la réception qui suivit. Le roi de Suède, Gustave V, envoya un télégramme chaleureux à ces deux jeunes, survivants des camps de concentration, qui se juraient fidélité éternelle. Mon père, dès avant la noce, avait souffert pendant des semaines dans le fauteuil du dentiste. Kronheim avait en effet tenu à ce qu'on lui remplaçât le vipla par de la porcelaine.

— Avec toi, fiston, il ne doit pas être agréable de s'embrasser. J'en ai parlé avec les fidèles. À l'unanimité ils ont décidé de te collecter de quoi te payer le dentiste. En trois jours ils ont réuni six cents couronnes. Je t'ai déniché un spécialiste de première classe, voici son adresse.

*

Emil Kronheim aurait pu se frotter les mains. Il avait bien mené son affaire. Mais une visite avait jeté une ombre sur son bonheur, avant la cérémonie, au début de mars. Cela avait commencé par deux longs coups de sonnette impatients. Emil Kronheim, pourquoi le taire, dévorait du hareng tout en lisant un *comics* américain et il riait aux éclats. Ce fut sa femme qui accueillit la visiteuse et, stupéfaite de voir cette inconnue tellement bouleversée, elle l'avait fait entrer dans la salle de séjour avec son manteau, son bonnet de fourrure, ses galoches boueuses et trempées. Le rabbin, sans regarder de son côté, pêcha dans la saumure un morceau de poisson.

Mme Kronheim se retint de lui taper sur la main, elle lui dit seulement d'une voix sifflante :

— Tu as du monde.

Le rabbin, confus, sauta sur ses pieds en s'essuyant les doigts sur son pantalon. Mme Kronheim ne put s'empêcher de pousser un soupir :

— Mon Dieu ! Ton pantalon !

Sur la petite moustache de Judit les flocons de neige n'avaient pas fini de fondre. Une vraie Mère Noël. Kronheim lui offrit un siège.

— Oh, Judit, ma diligente épistolière ! Je vous en prie, asseyez-vous !

Judit obtempéra sans même déboutonner son manteau. Mme Kronheim, discrètement, se retira dans la cuisine.

— Je vous ai vu à Berga, Reb. Merci de ne pas m'avoir trahie.

Kronheim poussa vers la jeune fille l'assiette contenant le poisson.

— Un peu de hareng salé ?

— Je n'aime pas ça.

— Comment peut-on ne pas aimer le hareng salé ? C'est plein de vitamines. De vie. Et pourquoi donc vous aurais-je trahie ? Je vous rends grâce, chère Judit, de m'avoir averti avant qu'il ne soit trop tard.

La neige, sur les galoches de Judit, continuait à fondre.

— Non, c'est maintenant qu'il risque d'être trop tard.

— Grand Dieu ! Et c'est pour ça que vous venez me voir à Stockholm ?

Judit prit la main du rabbin.

— Nous devons sauver Lili.

— La sauver ? De qui ? De quoi ?

— Du mariage ! Rendez-vous compte, mon amie veut se marier !

Kronheim aurait voulu retirer sa main de celle de Judit, mais elle la serrait fortement.

— L'amour est une grande chose. Le mariage en est le sceau.

— Mais c'est un escroc qui veut l'enlever ! Un escroc au mariage !

— Aïe ! Aïe ! Aïe ! Il n'y a pas de quoi rire. D'où tenez-vous cela, Judit ?

Mme Kronheim entra, apportant du thé et des petits gâteaux. Le rabbin avait horreur des sucreries.

— Mangez, buvez ! Détendez-vous ! Si ça ne vous dérange pas, moi je m'en tiens au hareng.

Judit n'eut de regard ni pour les menues pâtisseries à la vanille ni pour le thé. Elle ne remarqua pas non plus qu'au milieu des gros meubles lourds le poêle en faïence était chauffé à blanc. Elle ne dénoua même pas son châle.

— Écoutez-moi, Reb, vous ne savez pas tout, écoutez-moi ! Imaginez un homme qui se procure les noms et adresses des jeunes filles soignées dans les camps de réadaptation de Suède !

— J'imagine.

— Et maintenant imaginez que ce même homme prenne la plume et adresse une lettre à chacune ! Vous me suivez ? À toutes, de la première à la dernière !

Le rabbin goba un hareng.

— Je vois devant moi quelqu'un de tenace.

— Des lettres identiques. Le même texte mielleux. Comme copié au papier carbone ! L'homme se rend à la poste et poste toutes les lettres. Vous le voyez, Reb ?

— Mais c'est absurde. D'où tirez-vous cela ?

Judit regarda triomphalement le rabbin. Son moment à elle était arrivé. Elle tira de sa poche une lettre jaunie et chiffonnée.

— Tenez ! Moi aussi j'en ai reçu une, en septembre de l'année dernière ! Sauf que je n'ai pas eu l'idée de répondre, je voyais trop bien son jeu ! Qu'en dites-vous ? Lili avait reçu la même ! Je l'ai vue, je l'ai lue. Seul le prénom de la destinataire était différent. Vous pouvez faire une enquête ! Vérifiez !

Le rabbin Kronheim défroissa la lettre et l'étudia consciencieusement.

Chère Judit !

Sans doute êtes-vous habituée à ce que des inconnus s'adressent à vous, si vous parlez hongrois – sous prétexte qu'eux aussi sont hongrois. Peu à peu nous devenons tout à fait mal élevés.

Moi par exemple je m'adresse à vous familièrement ci-dessus sous prétexte que nous sommes pays. J'ignore si vous me connaissez de Debrecen – avant que la patrie ne m'« appelle » pour le service du travail obligatoire je travaillais au Journal *indépendant, et mon père tenait une librairie dans le palais épiscopal.*

Le rabbin hocha la tête.

— En effet, ce n'est pas banal.

Judit était au bord des larmes.

— Et c'est à cet escroc que mon amie veut amarrer la barque de sa vie !

Le rabbin, rêveur, s'enfourna un nouveau hareng.

— La barque de sa vie... Comme c'est poétique. Elle amarre la barque de sa vie.

*

Plus de cinquante ans plus tard, ma mère, née Lili Reich, harcelée par moi qui lui demandais si elle se rappelait le premier instant, le tout premier, celui où elle avait décidé de répondre à la lettre de mon père, fouilla longuement dans ses souvenirs.

— Cet instant précis, je ne me le rappelle pas. Tu sais, en septembre, après que l'ambulance m'eut transportée de Smålandsstenar à Eksjö et alors que j'y passais une deuxième semaine clouée au lit, Sára et Judit sont soudain apparues à mon chevet. Elles apportaient du camp de Smålandsstenar quelques-unes de mes affaires personnelles, dont la lettre de ton père. Judit s'est assise au bord de mon lit et elle a commencé à me tenir des discours pour essayer de me convaincre de répondre à ce pauvre garçon. Elle me disait combien ce malheureux journaliste malade, originaire de Debrecen, devait espérer une réponse. Sára et Judit sont reparties, et je suis restée là, couchée, on m'avait même interdit de me rendre aux toilettes. J'étais alitée, je m'ennuyais, la lettre de ton père était là. Deux ou trois jours plus tard, j'ai demandé aux infirmières du papier et un crayon.

*

En juin 1946, Lili et mon père, avec d'autres Hongrois, furent inclus dans le deuxième contingent de rapatriés. De Stockholm on les transporta à Prague en avion, et le jour même ils purent monter dans un train à destination de Budapest.

Se tenant par la main, ils se serraient dans le remugle d'un compartiment bondé. Mon père, sitôt passé la frontière, se leva en s'excusant d'un sourire et se fraya un passage jusqu'à ce minuscule réduit, d'une malpropreté

tout exotique : les toilettes. Il s'y enferma. Son thermomètre, dans son bel étui de métal, était toujours dans sa
poche. Le train, confortable, courait trépidant sur la
voie fraîchement rétablie. Mon père prit le thermomètre
dans sa bouche, ferma les yeux et se cramponna à la
poignée de la porte. Il essaya, au rythme des roues sur
les rails, de compter jusqu'à cent trente. À quatre-vingt-
dix-sept, il rouvrit les yeux.

Dans le miroir ébréché, brisé, des toilettes, un homme
à lunettes, maigre, mal rasé, accoutré d'un complet ves-
ton trop grand pour lui, le regardait, un thermomètre à
la bouche. Il s'approcha du miroir, se pencha. Était-ce
cela qu'il allait désormais toujours voir ? Ce personnage
au regard craintif, dépendant du thermomètre ?

Il prit sa décision. Sortant le thermomètre de sa
bouche, sans même contrôler la hauteur de la colonne
de mercure, il le jeta dans la cuvette. L'étui prit le même
chemin, et par deux fois, rageusement, sans hésiter, il
actionna la chasse.

Ce même jour de juin, à neuf heures du soir, une
foule énorme s'était rassemblée à la gare, ce qui ne
manquait pas d'être surprenant car il s'agissait d'un
train spécial et la radio n'avait pas annoncé son arrivée.
Maman – Anyuka – l'avait par exemple appris dans le
tramway, le 6, quand une femme en fichu, au beau
milieu de la circulation de l'après-midi alors à son
comble, l'avait crié à la cantonade. Elle aussi, sa fille
revenait, après dix-neuf mois d'absence.

Lili ne flottait pas dans sa robe à pois rouges. Au
printemps elle avait commencé à s'étoffer ; la dernière
fois qu'on l'avait pesée, en Suède, elle avait atteint

soixante-quinze kilos et demi. Mon père, qui en pesait cinquante-trois en quittant la Suède, restait au large dans son pantalon.

Ils voyageaient dans la dernière voiture. Mon père, chargé des deux valises, descendit le premier du train. Anyuka se précipita vers Lili, elles se serrèrent dans les bras l'une de l'autre, sans un mot, pendant plusieurs minutes. Anyuka embrassa également mon père, que personne n'attendait, sinon ses camarades, plus tard, mais pour un autre genre d'accueil !

Anyuka espérait encore que son époux, papa – Apuka – le père de Lili, rentrerait. Mais la vérité fut que Sándor Reich, le marchand de valises, libéré du camp de Mauthausen, pénétra en cours de route dans un dépôt de produits alimentaires où il mangea du jambon fumé et du lard. Pendant la nuit on le transporta à l'hôpital. Deux jours plus tard, il décédait d'une occlusion intestinale.

À la gare, il faisait lourd et il y avait de la poussière. Lili, Anyuka et mon père, se considérant avec émotion, piétinaient dans le fourmillement ému de la foule.

Quant à moi, j'avais encore devant moi deux années de préparation silencieuse, impatiente.

Épilogue

Mon père et ma mère avaient correspondu pendant six mois, de septembre 1945 à février 1946, avant de se marier à Stockholm. Pendant cinquante ans j'ai ignoré l'existence de cette correspondance. En 1998, après la mort de mon père, ma mère, comme incidemment, me remit deux grosses liasses de lettres, entourées d'un ruban de soie d'un bleu de bleuet et d'un rouge écarlate. Je vis dans ses yeux de l'espoir et de l'incertitude.

Je connaissais naturellement l'histoire de leur rencontre. Pas en détail, dans sa profondeur authentique, mais seulement comme ça, au niveau de l'anecdote. «Ton père m'a sciée avec ses lettres», c'est en ces termes qu'elle évoquait leur ancienne histoire, et aussitôt une jolie grimace apparaissait sur son visage. Elle parlait aussi de la Suède, de ce monde, là-bas, de brume et de glace, tout en haut de la carte. «Pôle Nord, mystère, étrangeté[1]...» Comme si une tache honteuse avait marqué leurs débuts.

_____
1. Vers célèbre de Ady.

Mais les lettres étaient là ; pendant cinquante ans ils les avaient trimbalées avec eux en évitant de les sortir, d'en citer des phrases, d'en parler. C'était d'abord cela qu'il me fallait comprendre : les raisons pour lesquelles ils les avaient conservées sans aller plus loin – ce passé enfermé dans un élégant coffret qu'il était interdit d'ouvrir.

Je ne pouvais plus interroger mon père, mais je pouvais harceler ma mère de mes questions. La réponse la plus fréquente était un haussement d'épaules : « C'est de la vieille histoire. Tu connaissais la pudeur de ton père. Nous voulions oublier. »

Quoi ? Pourquoi ? Pourquoi laissaient-ils se perdre cet amour si beau dans ses inhibitions, si glorieux dans ses maladresses, et qui, entre les lignes, au bout d'un demi-siècle, reste si lumineux ? Si les relations de mes parents ont connu des moments de crise – et pourquoi n'en auraient-elles pas connu, toute union conjugale en est riche –, pourquoi ne coupèrent-ils jamais, par mesure de défense et pour y puiser des forces, le cordonnet de soie protégeant les liasses de leurs lettres ? Ou permettons-nous de poser une question plus sentimentale : le temps, pendant les cinquante années qu'ont duré leurs relations, ne s'est-il jamais arrêté une seconde ? Un instant où les anges traversaient la chambre ? Où elle ou lui, par pure nostalgie, auraient voulu exhumer le paquet caché derrière les livres de la bibliothèque, preuve tangible de la réalité de leur rencontre, de leur amour ?

La réponse, bien sûr, je la connais : il n'y eut jamais de tels instants.

*

Dans une de ses lettres mon père écrivait qu'il tournait dans sa tête un projet de roman. Il voulait évoquer le transport en wagon, le «grand voyage», l'horreur en partage jusqu'aux Lagers allemands. L'œuvre que Jorge Semprun allait écrire à sa place.

Pourquoi ne s'y est-il jamais mis?

Je crois deviner la réponse. Mon père est rentré en Hongrie en 1946, de sa famille seule sa petite sœur était encore en vie, la maison de ses parents avait été bombardée, le passé s'était évanoui. Mais son avenir prenait forme conformément à ses vœux. Il était devenu journaliste, il avait commencé à travailler dans des journaux de gauche. Puis, au début des années 1950, il trouva brusquement sa table de travail dans le couloir de la rédaction.

J'ignore à quel moment exactement il perdit la foi. À l'époque du procès Rajk, elle avait dû se lézarder, mais en 1956 l'idée d'émigrer hanta mes parents pour la première fois. Je revois mon père, désespéré, debout dans la cuisine empuantie par l'odeur des couvertures que l'on faisait bouillir, et qui disait à ma mère d'une voix sifflante : «Tu veux que toute ma vie je fasse la vaisselle? C'est ça que tu veux?»

Ils restèrent.

À l'époque de Kádár mon père devint un journaliste renommé, spécialiste de la politique étrangère, fondateur et vice-rédacteur en chef d'un hebdomadaire exigeant, le *Magyarország*. Il n'écrivit jamais de roman, ne décrivit jamais le voyage en wagon, et perdit l'habitude de composer des poèmes.

Ma conviction est que son culte de l'Idée, sa foi première, quasi religieuse, puis son acceptation résignée de la réalité avaient écrasé en lui l'écrivain. Ce qui prouve, pour moi, que le talent ne suffit pas. Il n'est pas mauvais non plus d'avoir de la chance avec son milieu.

Les lettres en revanche ils les conservaient scrupuleusement, les déplaçant du fond d'une armoire à une autre. Et c'est cela qui compte vraiment. Ils les conservèrent jusqu'à ce que, sur une décision de ma mère et avec l'accord bienveillant et posthume de mon père, elles aboutissent entre mes mains.

La photocomposition de cet ouvrage
a été réalisée par
GRAPHIC HAINAUT
59410 Anzin

Imprimé en France par CPI
en mars 2016

Dépôt légal : avril 2016
N° d'édition : 55222/01 – N° d'impression : 133763